なつかしくてあたらしい、白崎茶会のオーガニックレシピ

かんたんお菓子

白崎裕子

WAVE出版

はじめに

「お菓子の扉」

小学3年生のときのことです。絵本を見て焼いたできそこないのパンケーキを、お腹をすかせた妹が「おいしい！」と言って食べてくれたその日から、私はお菓子作りに夢中になってしまいました。

ボウルはラーメンどんぶり、泡立て器はお箸を束ねて輪ゴムでとめたもの。クッキーもケーキもフライパンで作りました。そして、とうとう6年生のときに、お年玉をはたいて小さな赤いオーブンを買ったのです。秋葉原から帰りの電車に2時間ゆられ、「こんなものを買って、私はこれからどうなってしまうんだろう？」と思いつめたような顔で膝の上にオーブンを抱えていたそのとき、私の「お菓子の扉」がひらいたのだと思います。

この本のお菓子の主な材料は、粉、豆乳、植物油、甘味料。たったこれだけのものが、少しの配合の差、ちょっとした工程の違いで、クッキーになり、ケーキになり、クリームにもなります。

材料表では粉は薄力粉になっていますが、「地粉で作るときのレシピ」が巻末

にありますし、片栗粉はくず粉に、てんさい糖はメープルシュガーに代えられます。甘さや油の量の調節も自由自在です。

すべての材料を自分で確認できるので、安心できるお菓子を「いともかんたん」に手に入れることができるのです。

はじめてお菓子を作る方は、中でも特にかんたんそうなものを作ってみてください。そこが肝心です。何か1品でも作ってみれば、知らないうちに2〜3品作れるようになる、そんな構成にしてあります。

みなさんの「お菓子の扉」がひらくかどうかは、わかりませんが、でも、もしかしたら……扉を開ける鍵をこっそり渡せるかもしれない。そんなふうに本気で思っているのです。

CONTENTS

はじめに —— 02

クッキー

● 基本のクッキー
  - きなこクッキー —— 8
  - チェダーチーズクッキー —— 12
  - ココナッツボール —— 14

● 定番クッキー
  - ビスケット —— 16
  - シナモンチョコビスケット —— 18

● 型抜きクッキー
  PICK UP 乳化のコツ —— 20
  - ジャムサンドクッキー —— 21
  - くるくるきなこクッキー —— 22

● しぼり出しクッキー
  - きなこバタークリーム
  - きなこクリームサンドクッキー —— 24
  [お菓子の小物] —— 25

● 定番クッキー
  - 全粒スティック —— 26
  - 白ごまチュイール —— 28

● 不思議な食感!
  - シャリシャリショコラ —— 30
  - アーモンドショートブレッド —— 32

● 特別な日のクッキー
  - チョコレートショートブレッド —— 34

ケーキ

● ふわふわマフィン
  - ジャムマフィン —— 38
  - マーブルマフィン —— 42
  - 全粒ナッツマフィン —— 44
  - バナナマフィン —— 46

スコーン

● スピードスコーン
  - とうもろこし粉スコーン —— 96
  - きなこスコーン —— 100
  - ライ麦フルーツスコーン —— 100

● 失敗しないスコーン
  - ヘタスコーン —— 102
  - チョコレートスコーン —— 104
  - バナナスコーン —— 104
  - 全粒スコーン —— 106

● 寝かせて作るスコーン
  [お菓子の小物] 豆乳クロテッドクリーム —— 108

● おまけ
  - 酒粕トリュフ —— 110

お菓子作りに役立つ7つ道具 —— 112
材料紹介 —— 113
地粉で作るときのレシピ —— 115
困ったときのお助けメモ —— 117
問い合わせ先 —— 117
おわりに —— 118

タルト

- ●秘密のケーキ
  - レモンマドレーヌとチョコマドレーヌ —— 48
  - フィナンシェ —— 52
  - ラズベリーのフィナンシェ —— 54
- ●寝かせて作るケーキ
  - 全粒パンケーキ —— 56
  - いちじくのブラウニー —— 58
- ●日持ちする濃厚なケーキ
  - ブランデーチョコレートケーキ —— 62
- ●定番ケーキ
  - バナナケーキ —— 64
  - レモンバナナケーキ —— 68
  - バナナフルーツケーキ —— 69

- ●基本のタルト台
  - ざくざくタルト —— 72
  - ［お菓子の小物］ジャムゼリー —— 76
  - ゼリータルト —— 77
  - ［お菓子の小物］レモンカード —— 78
  - レモンタルト —— 79
- ●シンプルタルト
  - アーモンドクリームタルト —— 80
  - フルーツのタルト —— 82
  - チョコバナナタルト —— 84
  - りんごのタルト —— 86
  - ベリーのタルト —— 88
- ●特別な日のタルト
  - ［お菓子の小物］カスタードクリーム —— 92
  - チョコカスタードクリーム —— 93
  - アーモンドクリーム —— 93

お菓子作りをはじめる前に

 = 生地作りにかかる時間です。作る人によって多少時間は前後します。生地の寝かせ時間は入っていません。

 = オーブンの焼き時間です。本書で使用しているオーブンは1400Wのものです。オーブンによって焼成温度と時間は調節しましょう。

Q = 教室でよく受ける質問を紹介しています。「困ったときのお助けメモ」（P.117）も参考にしてください。

＊本書で使用している計量スプーンは、すりきりで大さじ＝15cc、小さじ＝5cc。

＊計量の仕方＝デジタルのはかりが便利です（P.112）。お菓子はレシピの分量がいのち。正確にはかって、おいしいお菓子を作りましょう。

＊保存方法＝クッキーはしっかり冷ましてから乾燥剤を入れてビンで保存すると湿気ず、プレゼントするときにも便利です。／タルトはクッキーと同様に、乾燥剤とともに大きなタッパーやポリ袋に入れて湿気を防ぎましょう。／スコーンはほんのり温かいうちにポリ袋などに入れて乾燥を防ぎましょう。スコーンの場合、翌日でも霧吹きをかけて湿らせ、180℃のオーブンで再加熱すると、焼き立てがよみがえります。／ケーキは各ページを参照してください。いずれにしても、早めに食べましょう。

＊型がない場合＝オーブンの天板に大きく広げて焼いたり、紙や新聞紙で作ったパウンド型や、ステンレスボウルに、オーブンシートを敷いて焼くこともできます。100円均一ショップでも紙型は売っています。また、型抜きクッキー用の型がなくても、包丁でカットしたり、手で丸めたり、フォークでつぶしたりするだけでも、かわいくておいしいクッキーになります。

＊地粉で作る場合＝「地粉で作るときのレシピ」（P.115）を参照してください。

クッキー

保存に向くのがうれしい、基本のお菓子。

低温で長めに焼き、水分を飛ばしてサクサクに仕上げます。

焼き上がったクッキーは、しっかり冷ましてからビンなどの密封容器に入れ、湿気を防ぎましょう。

このとき、海苔の袋に入っている乾燥剤を入れると、クッキーをサクサクに保ってくれます（海苔は湿気ます）。

お茶を入れて、ビンからクッキーを取り出せば、「今日はツイてなかったなぁ」なんて日でも、「まぁいいか……」と思えてくるから不思議です。

●基本のクッキー

きなこクッキー

　卵やバターなしのクッキーをサクサクに仕上げるポイントは2つです。1つめは、なるべく手でさわらないこと。特に手が温かい人が生地をさわると、どんどん生地がかたくなって、焼き上がりがサクッとしないことがあります。2つめは、なたね油とメープルシロップをとろりとするまで乳化させること。「乳化?」と思われるかもしれませんが、かんたんにいうと油と水分が混ざり合うこと。このワザを使うことで、ラクになたね油を生地の中に均等に分散させることができます。粉を混ぜた泡立て器でそのまま液体を混ぜれば、少量の粉が落ちて乳化がうまくいきます。詳しくはP.20を参考にしてください。

> どこかなつかしい、しみじみとしたおいしさ。
> この本のクッキー作りに必要な工程が、
> すべて詰まっている基本のクッキーです。

10分

25分

Q クッキーが生焼けに なってしまいました。 オーブンの温度が低いと生焼けになります。
オーブンによりますので、次からは温度を少し上げてみてください。

きなこクッキーの作り方

材料（約30枚分）

- Ⓐ 薄力粉…80g
  - きなこ…20g
- Ⓑ メープルシロップ…45g
  - なたね油…30g
  - 塩…ひとつまみ

1 粉を混ぜる

Ⓐをボウルに入れ、泡立て器でよくかき混ぜ、ダマを取る。

2 液体を混ぜる

Ⓑを小さめのボウルに入れ、1の泡立て器でとろりと濁ってくるまでよく混ぜ、乳化させる（詳しくはP.20参照）。

> きなこを紫芋パウダーにすれば紫芋クッキーに!!

{ POINT }

液体が乳化すると白っぽくトロッとする

生地がまとまった状態

010

おいしいアレンジ
「紫芋クッキー」
材料のきなこを紫芋パウダーに代え、きなこクッキーと同様に作る。

◆ ◆ ◆

焼き上がりの目安
焼き上がったクッキーをさわって、スッと動けば焼き上がり。冷めるとサクッとします。

3 合わせる

2を1に加えて、ゴムべらで生地をひとまとめにする。

4 のばす

天板サイズのクッキングシートに生地をおき、軽く整えたら、ラップをして、めん棒で厚さ5mmくらいにのばす。

5 成形する

包丁などで切りこみ線を入れ、竹ぐしで穴を開け、クッキングシートごと天板にのせる。

6 焼く

160℃に温めたオーブンに入れ、10分焼いたあと取り出して、包丁などで切りこみ線をなぞって切り離し、150℃に下げたオーブンで15分焼く。

ラップを使うと扱いやすい

竹ぐしがないときは、フォークでもOK

ひとつひとつしっかり離すと、側面がサクサクになる

チェダーチーズクッキー

●定番クッキー

お酒のおつまみにもぴったりなチーズ味のクッキーです。

酒粕の発酵味に塩分と油分を足し、低温で乾燥焼きをすることにより、アルコールが抜けて、チーズそっくりの味になります。

酒粕は、少しやわらかめの板粕を使うと上手にできます。酒粕がかたいときには量を少し減らし、その分、豆乳を足して作ってください。

⏱ 10分
🔥 25分

材料（約30枚分）

Ⓐ 薄力粉…85g
　全粒粉…15g
　塩…ふたつまみ
　黒こしょう…少々

Ⓑ 酒粕…15g
　豆乳…10g
　なたね油…30g
　メープルシロップ…20g

1 Ⓐをボウルに入れ〈a〉、泡立て器でよくかき混ぜ、ダマを取る。

2 酒粕は小さめのボウルに入れ、豆乳でふやかしておき〈b〉、なたね油、メープルシロップを加え、泡立て器でなめらかになるまでよく混ぜ、乳化させる〈c〉。

3 2を1に加えて、ゴムべらで生地をひとまとめにする。天板サイズのクッキングシートに生地をおき、軽く整えたら、ラップをして、めん棒で厚さ4mmにのばし、包丁などで切りこみ線を入れ、竹ぐしで穴を開ける〈d〉。

4 160℃に温めたオーブンに入れ、10分焼いたあと取り出し、包丁などで切りこみ線をなぞって切り離し、150℃に下げたオーブンで15分焼く。

012

おいしいアレンジ

1の工程で、ドライバジルやガーリックパウダー少々を入れてもおいしい。酒粕が余ったら「酒粕トリュフ」(P.110)を作るとあっという間になくなります。

Q 焼き上がりがまだら模様になりました。

酒粕がよくとけていないとそうなります。なめらかになるまでよく混ぜ、粉と合わせましょう。

● 定番クッキー

ココナッツボール

ザクッ、ホロホロッとしたミルキーな味のクッキー。
生地をあまりさわらずに、手早く丸めてオーブンへ。

このレシピは、豆乳の量がとても少ないため、「水でもできますか?」とよく聞かれます。でも、このほんの少々の豆乳が入るからこそ、なたね油とメープルシロップがしっかりと乳化して、油っぽくないミルキーな味わいになるのです。やっと手で丸められるくらいのやわらかい生地を、高温でふわっとふくらませ、低温で中まで乾燥焼きをして、サクサク軽い食感を作ります。

材料（20個分）

Ⓐ 薄力粉…60g
　全粒粉…20g
　片栗粉（またはくず粉）
　　…20g
　ベーキングパウダー
　　…小さじ1/2

Ⓑ メープルシロップ…50g
　なたね油…35g
　豆乳…10g
　塩…ひとつまみ

Ⓒ ココナッツフレーク…20g

1 きなこクッキーの作り方（P.10）1〜3と同様にして生地を作り、ラップをして5分おく〈a〉。

2 生地が吸水してかたくなったら、ココナッツフレークを入れて、ゴムべらでサックリと混ぜる。ゴムべらで20個に分けて、クッキングシートに並べ〈b〉、手のひらで素早くボール状に丸める〈c、d〉。

3 クッキングシートごと天板にのせ、170℃に温めたオーブンに入れ、10分焼いたあと150℃に下げ、20分焼く。

c a
d b

10分

30分

Q 写真のように
ひび割れません。

最初の10分間のオーブンの温度が低いとできません。予熱をしっかりするか温度を少し上げてみてください。

おいしいアレンジ
ココナッツフレークをアーモンドプードルに代えて作れば「アーモンドボール」、細かく砕いたくるみに代えれば「くるみボール」。

かんたんアレンジ
全粒粉がないときは、薄力粉を20ｇ増やして作る。

ビスケット

● 型抜きクッキー

> サクサク軽い食感。このうえなくシンプルな味。
> ありそうでなかったプレーンなクッキー。

バターを使わない型抜きクッキーは、サクサクになりにくいのですが、それは型を抜くときに、生地を何度もまとめてはのばす工程で、グルテンができやすいためです。この生地はグルテンができにくく、型抜きに向いています。少しのてんさい糖がつなぎとなり、薄くのばして焼いても、割れにくいクッキーです。ベーキングパウダーをひとつまみ入れると、クッキーの表面が美しく平らに仕上がりますが、なくてもおいしくできます。

材料（20〜25枚分）

- Ⓐ 薄力粉…90g
  - 片栗粉（またはくず粉）…10g
  - アーモンドプードル…20g
  - ベーキングパウダー
  - …ひとつまみ（なくてもよい）
- Ⓑ メープルシロップ…50g
  - なたね油…30g
  - てんさい糖
  - （またはメープルシュガー）…5g
  - 塩…ひとつまみ

1 Ⓐをボウルに入れ、泡立て器でよくかき混ぜ、ダマを取る。

2 Ⓑを小さめのボウルに入れ、泡立て器でよく混ぜ、乳化させる（てんさい糖をできるだけとかす）〈a〉。

3 2を1に加えて、ゴムべらで生地をひとまとめにし〈b〉、2枚のラップで生地をはさみ、軽く整え、めん棒で厚さ4mmほどにのばし〈c〉、好みの型で抜き〈d〉、竹ぐしで穴を開ける。

4 型抜きした生地を、クッキングシートを敷いた天板に並べ、160℃に温めたオーブンに入れ、10分焼いたあと150℃に下げ、15分焼く。

d　c　b　a

 10分
 25分

おいしいアレンジ

アーモンドプードルがないときは、全粒粉やコーンミールに代えてもおいしい。「きなこクリームサンドクッキー」（P.25）ビスケットでレーズンを加えたきなこバタークリーム（P.24）をはさむ。

- 「ジャムサンドクッキー」（P.21）ビスケット×いちごジャム＝ビスケットでジャムゼリー（P.76）をはさむ。全粒ビスケット×ブルーベリージャム＝薄力粉を【薄力粉45g＋全粒粉45g】に代えて作り、ジャムゼリーをはさむ。

● 型抜きクッキー

シナモンチョコビスケット

歯ごたえがおいしいチョコ味のビスケット。
割れにくいのでプレゼントにも向いています。

お好みの型で抜いてから、フォークの背であとをつけるとかわいらしく仕上がります。竹ぐしで穴を開けておき、焼き上がってから紐を通して、クリスマスの飾りにしても楽しい。このクッキーでレモンカード（P.78）や豆乳クロテッドクリーム（P.108）をすくって食べると危険なおいしさになります。くれぐれも食べすぎにはご注意を。

材料（約20個分）

Ⓐ 薄力粉…90g
　ココア…10g
　アーモンドプードル…20g
　シナモンパウダー…小さじ1
　ベーキングパウダー…ひとつまみ（なくてもよい）

Ⓑ メープルシロップ…50g
　なたね油…30g
　てんさい糖（またはメープルシュガー）…10g
　塩…ひとつまみ

1 ビスケットの作り方（P.16）1〜2と同様にして作る。

2 乳化させたⒷを粉類に加え、ゴムべらで素早く混ぜ合わせ、ひとまとめにし、2枚のラップで生地をはさみ、めん棒で厚さ4mmくらいにのばし、好みの型で抜く。

3 型抜きした生地をクッキングシートを敷いた天板に並べ、160℃に温めたオーブンに入れ、10分焼いたあと150℃に下げ、15分焼く。

かんたんアレンジ
ココアを控えている人は、キャロブパウダーで代用してもよい。その場合、薄力粉90g＋ココア10gを【薄力粉80g＋キャロブパウダー20g】にして同様に作る。

おいしいアレンジ
「ジャムサンドクッキー」（P.21）ジンジャーチョコビスケット×オレンジジャム＝材料のシナモンパウダーをジンジャーパウダーに代えて作り、ジャムゼリー（P.76）をはさむ。

10分

25分

Q 型がないときはどうすればいいですか？　　きなこクッキーの作り方（P.11）のように包丁でカットすれば大丈夫です。

乳化のコツ

かんたんに説明をすると、水分と油が混ざり合うことを「乳化」といいます。メープルシロップとなたね油、豆乳となたね油、豆腐となたね油などを混ぜるときに、この「ワザ」を使います。乳化させることで、油が生地にまんべんなく混ざり、美しく、おいしいお菓子に仕上がります。つまり、バターなしのお菓子をプロの味に仕上げるための「ワザ」です。といっても難しいものではないのでご安心ください。ポイントをおさえれば、だれでもかんたんに乳化させることができます。

また、とろみがあることで乳化しやすくなります。レシピでは、泡立て器についた粉を使うことでとろみをつけたり、米あめの粘り気を使ったり、レモン果汁で豆乳にとろみをつけたり、てんさい糖をメープルシロップにとかしてとろみをつけたり、乳化しやすくなっていますので、ぜひレシピ通りに作ってください。

ポイント

- 泡立て器をシャカシャカ大きく振らない
- 右回しで混ぜる
- 最初は1カ所を軸にして、小さな円を描くように混ぜる
- 乳化してきたら、少しずつ大きな円を描くようにして全体を混ぜる

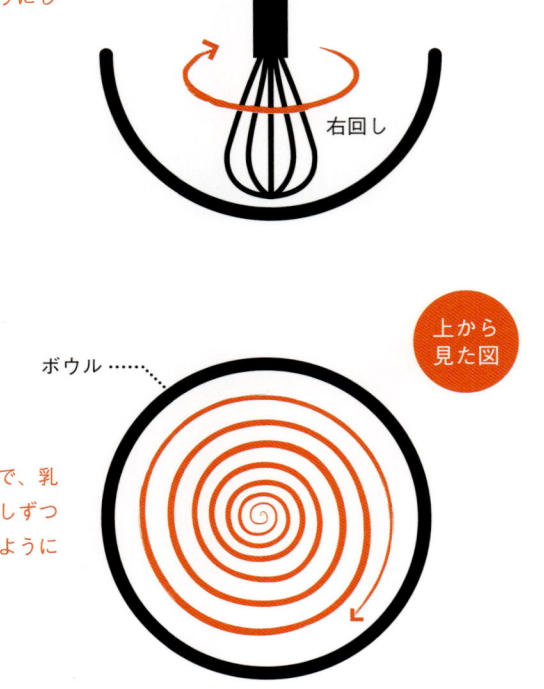

横から見た図 — 右回し

泡立て器はなるべく立て、ボウルの底の1点に押しつけるようにして混ぜる

上から見た図 — ボウル

最初は小さな円で、乳化してきたら少しずつ大きな円を描くように

ジャムサンドクッキー（作り方はP.17、18）

全粒ビスケット × ブルーベリージャムゼリー

ジンジャーチョコビスケット × オレンジジャムゼリー

ビスケット × いちごジャムゼリー

Q ジャムゼリー（P.76）がカチッとかたまりません。

ジャムを煮すぎるとジャムの酸で寒天がかたまりにくくなります。煮すぎには注意しましょう。

● しぼり出しクッキー

くるくるきなこクッキー

口どけのよい、軽くてコクのあるクッキー。小さくしぼり出すのが、おいしく作るコツです。

とろとろにやわらかい生地を、小さくしぼり出して焼くクッキーです。きなこの味がしっかりしてコクがあるのに、口の中でサッととけます。しぼり出し袋がない場合は、ビニール袋の端をカットしたものでも大丈夫。仕上がりがかわいいので、小ビンに詰めて保存しておくと、それだけで幸せな気持ちになります。

材料（約40個分）

Ⓐ 薄力粉…65g
　片栗粉（またはくず粉）
　　…15g
　きなこ…20g

Ⓑ メープルシロップ…55g
　なたね油…50g
　塩…ひとつまみ

　　　a　　　　　b　　　　　c

1　「きなこクッキー」の作り方（P.10）1〜3と同様にして生地を作る〈a〉。

2　生地をしぼり出し袋に入れ、クッキングシートを敷いた天板にしぼり出す〈b〉。

3　160℃に温めたオーブンに入れ、10分焼いたあと150℃に下げ、15分焼く〈c〉。

かんたんアレンジ
しぼり出し袋がない場合は、ビニール袋（厚手のものが扱いやすい）の端をカットしたものでもOK。先端を軽く指で押さえるときれいです。

おいしいアレンジ
「きなこクリームサンドクッキー」（P.25）くるくるきなこクッキーできなこバタークリーム（P.24）をはさむ。

10分

25分

022

Q 生地が油浮きしてしまいます。　　粉を入れてから混ぜすぎたり、しぼり出しに時間がかかったりすると
グルテンができて、分離しやすくなります。素早く作りましょう。

> だれかをあっと
> 驚かせたいときに
> **お菓子の小物**

きなこバタークリーム

オーガニックショートニングを使った、きなこ味のバタークリームです。夏場は室温でとけてしまいますので、冬の寒い日に作るのをおすすめします。クッキーにはさんだり、マフィンの表面に塗ったりして楽しめますが、こればかりはオーガニックショートニングがないとできません（なたね油では代用不可能）。なくても全然困らないけれど、あるとびっくりして楽しくなる、そんなクリームです。

材料（作りやすい分量）

オーガニックショートニング…50g
メープルシロップ…35g
きなこ…12g
塩…ひとつまみ

作り方

1. オーガニックショートニングをボウルに入れ、小さな泡立て器で混ぜてかくはんし、ほかの材料をすべて加え、なめらかになるまでよく混ぜる。

2. 冷蔵庫で冷やしかためる。

＊ショートニングがかたいときは湯せんにかけてやわらかくするとよい。とかしすぎに注意。

きなこクリーム
サンドクッキー
（作り方はP.17、22）

ビスケット
×
レーズン
×
きなこバタークリーム

くるくるきなこクッキー
×
きなこバタークリーム

Q おいしい食べ方はありますか？　　冷蔵庫で冷やして食べるのがおすすめです。
レーズンをラムレーズンにしても粋です。

● 定番クッキー

全粒スティック

ザクザクッとした歯ごたえがおいしい
ハードタイプクッキー。
しっかり焼いてサクッと仕上げます。

かれこれ10数年も作っている、私のクッキーの原点です。この生地にナッツや刻んだドライフルーツを入れたものを、都内の自然食品店に「ショートブレッド」の名でおいていただいていました。今思うと、「どこがショートブレッドなの？」という感じですが、このクッキーを焼くたびに、バターなしでサクサクのクッキーがやっとできた日のうれしさを思い出します。

材料（約20本分）

Ⓐ 薄力粉…50g
　全粒粉…50g
　てんさい糖（または
　メープルシュガー）…25g
　塩…ふたつまみ

Ⓑ なたね油…30g
　豆乳…20〜25g

1 Ⓐをボウルに入れ、泡立て器でよくかき混ぜ、ダマを取る。

2 なたね油を加え、泡立て器でかき混ぜ、ポロポロにし〈a〉、豆乳も入れて、ゴムべらで生地をひとまとめにする〈b〉。
＊泡立て器を使うと、手が温かい人でも上手に作れます。手が冷たい人は手で素早く混ぜてもOK。

3 天板サイズのクッキングシートに生地をおき、軽く整え、ラップをして、めん棒で厚さ4mmくらいにのばし〈c〉、包丁などで好みの太さに切りこみ線を入れる〈d〉。

4 160℃に温めたオーブンに入れ、10分焼いたあと取り出し、包丁などで切りこみ線をなぞって切り離し、150℃に下げたオーブンで20分焼く。

d

c

b

a

10分

30分

おいしいアレンジ

「塩スティック」
焼き上がったクッキーが熱いうちに焼き塩をふりかける。

「シナモンスティック」
シナモンパウダー小さじ1をⒶに入れ、てんさい糖を10g増やして作り、焼き上がったクッキーが熱いうちに、さらにシナモンパウダーをふりかける。

「黒ごまスティック」
黒いりごま10gをⒶに入れて、同様に作る。

Q 割れてしまいます。

水分が少ないと割れるので、生地がまとまりにくいときは豆乳を足しましょう。

● 定番クッキー

白ごまチュイール

パリパリッと香ばしい薄焼きクッキー。
天板に大きく広げて焼いて、
みんなで割りながら食べても楽しい。

オートミールを手でギュッと握って砕くと、粉のように細かいところと、少し荒いところができて、それが独特の食感を生み出します。このとき、砕き方が甘いと、吸水がうまくいかず、パリッとしないチュイールになってしまいますので、ぜひがんばって細かく砕いてください。

材料（12枚分）

Ⓐ 薄力粉…55g
　オートミール…45g
　てんさい糖（または
　メープルシュガー）…40g

Ⓑ なたね油…40g
　豆乳…40g
　塩…ひとつまみ

Ⓒ 白いりごま…20g
　ココナッツフレーク…5g
　（なくてもよい）

1　オートミールをボウルに入れ、手で握りつぶすようにして細かく砕く〈a〉。薄力粉、てんさい糖を加えて、泡立て器でよくかき混ぜ、ダマを取る。

a

2　Ⓑを小さめのボウルに入れ、泡立て器でよく混ぜ、乳化させる〈b〉。

b

3　2を1に加えて、ゴムべらで生地をひとまとめにし、1〜2分おいてからⒸも入れて混ぜ〈c〉、スプーンで生地を12等分して天板サイズのクッキングシートに並べ、スプーンの背を使って丸く形を整える〈d〉。

c

4　クッキングシートごと天板にのせ、160℃に温めたオーブンに入れ、10分焼いたあと150℃に下げ、20分〜25分、サクッとするまで焼く。

d

＊天板1枚に生地6枚が目安。2段タイプのオーブンは、2枚の天板を途中で入れ替えると焼きムラがでない。1段タイプは2回に分けて焼く。

10分

35分

おいしいアレンジ
白いりごまをスライスアーモンドに代えて同様に作ると「アーモンドチュイール」になる。天板の形に合わせて生地を広げて焼いてもおいしい。

かんたんアレンジ
ココナッツフレークがないときは、白いりごまを5g増やす。

● 不思議な食感！

シャリシャリショコラ

冬季限定のチョコクッキー。
シャリシャリした食感があとをひき、
食べだしたら止まらないおいしさ。

オーブンでとけたてんさい糖が、冷めてかたまることで完成する「冬季限定クッキー」です。生地に水分を入れないので独特の食感が生まれます。生地を薄くカットするときれいですが、くずれやすいので、うまくいかないときは、手でギュッとにぎって小さく丸めてください。こちらもシャリシャリ感が際立っておいしい。

材料（約24枚分・またはボール状で約40個分）

Ⓐ 薄力粉…90g
　ココア…10g
　アーモンドプードル…20g
　てんさい糖（またはメープルシュガー）…50g
　塩…ひとつまみ

Ⓑ なたね油…40g

1 Ⓐをボウルに入れ、泡立て器でよくかき混ぜ、ダマを取る。

2 Ⓑを加え、ゴムべらで全体的にしっとりとまとまってくるまでよく混ぜ〈a〉、生地をひとまとめにする。

3 手で生地を筒状（丸でも四角でも三角でも）に整え〈b〉、5mmくらいにカットする〈c〉。

4 クッキングシートを敷いた天板に並べ、160℃に温めたオーブンに入れ、10分焼いたあと150℃に下げ、10分焼く。クッキーが冷めたら、ココア（分量外）を茶こしでふる。

＊焼き立てはやわらかくても、冷めるとかたくなります。
　焼きすぎに注意。

10分
20分

かんたんアレンジ

手でぎゅっとにぎり〈d〉、40個に丸めて〈e〉同様に焼いてもおいしい。

● 特別な日のクッキー

アーモンドショートブレッド

冬の日の、とびきりリッチで濃厚なクッキー。クリスマスや新年など特別な日に作りましょう。

やわらかい生地をスプーンで小さな型に詰め、冷蔵庫で冷やしかためてから焼き上げます。型はどんな大きさでも大丈夫ですが、生地の厚さが1cm以下になるように詰めるとサクサクになります。生地を押しこまずに、ふわっと軽く詰めましょう。

 15分

 35分

材料（4cm角の型で約20個分）

Ⓐ 薄力粉…80g
　アーモンドプードル…40g
　塩…ひとつまみ

Ⓑ オーガニックショートニング…50g（またはなたね油40g）

Ⓒ メープルシロップ…60g

1 Ⓐをボウルに入れて、泡立て器でよくかき混ぜ、ダマを取る。

2 Ⓑを加え、フォークでショートニングが米粒大になるまで、つぶしながら混ぜ、ポロポロにする〈a〉。

3 Ⓒを入れて、ひとまとめにし、スプーンで好みの型〈b〉に詰め〈c〉、冷蔵庫で30分以上、冷やしかためる。

4 天板にのせ、フォークで穴を開け〈d〉、170℃に温めたオーブンに入れ、10分焼いたあと150℃に下げ、25分焼く。

＊なたね油で作るときは、なたね油40gをメープルシロップとよく混ぜてから、1のボウルに入れてひとまとめにし、型に詰め、寝かせず、すぐに焼く。焼き時間は160℃で10分→150℃に下げ20〜25分。

おいしいアレンジ

Ⓐに、シナモンパウダー小さじ1とジンジャーパウダー小さじ1/2を入れた「スパイスショートブレッド」はクリスマスにぴったり。あればクローブパウダー小さじ1/4も入れるとさらにおいしい。

 ショートニングがとけてドロドロになってしまいました。

一度冷蔵庫に入れて冷やしてから作業してください。

● 特別な日のクッキー

チョコレートショートブレッド

アーモンドショートブレッドにココアやラム酒を加えた大人の味。手のひらと指先で自由に形を作って焼きます。

アーモンドショートブレッドよりかたく扱いやすい生地ですので、型を使わず手で成形することができます。手で形を作るときは素早く。ゆっくりしていると生地に粘りが出てしまい、サクサク感がなくなってしまいます。途中で生地がダレてきたら、冷蔵庫で休ませて。厚さを1cm以下にすればどんな大きさ、形でも大丈夫。

材料（20cmくらいの円形1枚分）

- Ⓐ 薄力粉…80g
  アーモンドプードル…40g
  ココア…15g
  てんさい糖（または
  メープルシュガー）…10g
  塩…ひとつまみ
- Ⓑ オーガニックショートニング…50g
- Ⓒ メープルシロップ…50g
  ラム酒…10g

15分

35分

1. アーモンドショートブレッドの作り方（P.32）1〜3と同様にして生地を作り〈a〉、冷蔵庫で30分くらい寝かせる。

2. 天板サイズのクッキングシートに生地をおき、手で1cmくらいの厚さに整え〈b〉、縁を指先でつまんでフリルをつけ〈c〉、指で形を整える〈d〉。包丁などで切りこみ線を入れ〈e〉、フォークで穴を開ける〈f〉。

3. 170℃に温めたオーブンに入れ、10分焼いたあと取り出して、包丁などで切りこみ線をなぞって切り離し、150℃に下げ、25分焼く。

※写真は直径15cmくらいの円形2枚で焼いています。

Q 縁の成形がうまくできません。 … 円形の生地のまわりをフォークでギュッと押さえながらあとをつけても、かんたんにかわいくできます。

ケーキ

焼き立てがおいしいもの、冷めるとふわふわになるもの、
何日か寝かせて味を完成させるもの。
ケーキにはお菓子作りの楽しさと
「ワザ」のすべてが詰まっています。
焼き立てのアツアツがおいしいケーキは家族と楽しみ、
プレゼントには日持ちするケーキを贈り、
仕事場には小さく愛らしいケーキをこっそり持っていきましょう。

● ふわふわマフィン

ジャムマフィン

ほんのり温かいマフィンを2つに割ると、中からアツアツのジャムがとろり。こればかりは、作ってみないとわからないおいしさです。ジャムは、レシピ通りの量を入れるときれいにできますが、もっとたっぷり入れて、ジャムが横から吹き出してしまったようなものもおいしいです。甘すぎないフルーティーなジャムで作りましょう。ノンシュガーのジャムも、スーパーでよく見かけるようになりました。

また、このマフィンは、時間が経つとジャムの水分がしみて生地がビショビショになり、味もぼやけてしまいます。すぐに食べないときは、ジャムに粉寒天を少々混ぜて焼くと、冷めたときにジャムがかたまって水分が出ず、次の日も楽しめます。型に入れるときにぐずぐずしていると、ふくらまなくなってしまうレシピですので、生地を混ぜたら、できるだけ素早くオーブンへ入れることもポイントです。

> 卵とバターが入っていないことを忘れるくらい
> ふわふわにふくらむマフィン。
> おいしいジャムで作りましょう。

アツアツをすぐ食べたい！

10分

25分

Q ジャムが外に出てこないようにする　　ジャムが生地の真ん中にくるようにすることと、
コツはありますか？　　　　　　　　　　水分の少ないジャムを使うことです。

◎ジャムマフィンの作り方

材料（マフィン型6個分）

Ⓐ 薄力粉…100g
  アーモンドプードル…25g
  ベーキングパウダー…小さじ1
  タンサン（重曹）…小さじ1/2

Ⓑ 豆乳…100g
  レモン果汁…20g
  なたね油…40g
  てんさい糖
  （またはメープルシュガー）…40g
  塩…ひとつまみ

Ⓒ お好みのジャム…40g

1 粉を混ぜる

Ⓐをボウルに入れて、泡立て器でよくかき混ぜ、ダマを取る。

2 豆乳と油を混ぜる

豆乳を別のボウルに入れ、レモン果汁を加えて泡立て器で混ぜ、とろみがついたら、なたね油を入れて乳化させ、てんさい糖と塩も加え、てんさい糖がとけるまでよく混ぜる。

型の表面になたね油を塗ると羽もきれいにはずせます！

※羽…焼き上がりで横に広がる生地のこと。

{ POINT }

レモン果汁を加えてとろみがついたら  ▶ なたね油を入れて乳化させる

かんたんアレンジ

ジャムに、粉寒天小さじ1/4を混ぜておくと、冷めてからかたまるので、次の日も生地がビショビショにならない。

・・・

おいしいアレンジ

「紅茶のジャムマフィン」
アールグレイのティーバッグ2袋分を砕いて、Ⓐに入れる。ジャムはオレンジジャムがよく合う。

「レーズンマフィン」
ジャムの代わりにレーズン40gを3の工程で生地に混ぜる。

・・・

型はどんなものでもOKです。6分割して6個焼いてください。小さめの型に生地をたっぷりと詰めると、焼いたときに生地があふれて、かわいい羽ができます。

---

5 焼く

180℃に温めたオーブンに入れ、10分焼いたあと170℃に下げ、15分焼く。

3 合わせる

2に1を加え、泡立て器でツヤが出るまで、ぐるぐると素早く混ぜる（ゆっくりしていると生地にむらができる）。

6 型からはずす

熱いうちに、型ごと机に数回たたきつけるようにして、型からはずす（冷めるとはずれなくなる）。粗熱を取り、ほんのり温かいうちにビニール袋に入れて密封する。常温で2日保存可。

4 型に入れる

ペーパーを敷いた型にスプーンで生地を半分まで入れ、真ん中にジャムをひとさじずつ入れ、残りの生地をかぶせる（ジャムが底につかないようにする）。

卵なしでも、ふっくらふくらんで、羽もできます！

ジャムは砂糖不使用のオーガニックのものがおすすめ（問い合わせ先はP.117）。

f 　　f 　　c

● ふわふわマフィン

マーブルマフィン

10分

25分

まず、ラム酒でココアとてんさい糖をよく練ります。かたくて練りにくいのですが、水分を足してはいけません。てんさい糖は焼くととけて水分が出るので、水分を足すと生地が水っぽくなり、もっちりしてしまいます。そこで水ではなく、「ラム酒をギリギリの量」入れることにより、焼いたときにラム酒のアルコールが飛んで、水分量がちょうどよくなり、チョコ部分もふんわりと軽く、おいしく仕上がるのです。

材料（マフィン型6個分）

- Ⓐ 薄力粉…100g
  - アーモンドプードル…25g
  - ベーキングパウダー…小さじ1
  - タンサン（重曹）…小さじ1/2

- Ⓑ 豆乳…100g
  - レモン果汁…20g
  - なたね油…40g
  - てんさい糖（または
  - メープルシュガー）…40g
  - 塩…ひとつまみ

- Ⓒ ココア…10g
  - てんさい糖（または
  - メープルシュガー）…15g
  - ラム酒…10g

1 Ⓒを小さめのボウルに入れ、スプーンの背で押しつけるようにして、しっとりするまでよく混ぜる〈a〉。

2 ジャムマフィンの作り方（P.40）1〜3と同様にして、生地を作る。

3 1に2を大さじ2くらい加え、混ぜてチョコ生地を作る。

4 ペーパーを敷いた型の片側に、スプーンで2のプレーン生地を入れ、3のチョコ生地をもう片側に入れ〈b〉、プレーン生地をかぶせる。チョコ生地を入れた側に竹ぐしや箸を差しこみ、ぐるぐると2回、円を描きながらチョコ生地を引き出すようにして〈c〉、マーブル模様を作る〈d〉（素早く作業しないと、生地がふくらまなくなる）。

5 180℃に温めたオーブンに入れ、10分焼いたあと170℃に下げ、15分焼く。熱いうちに、型ごと机に数回たたきつけて、型からはずす。粗熱が取れたら、ほんのり温かいうちにビニール袋に入れて密閉する。常温で2日保存可。

焼き立てのアツアツより、少し冷めてからのほうがおいしい。美しいマーブル模様のマフィン。

かんたんアレンジ

「オレンジマーブルマフィン」オレンジの皮のすりおろし小さじ1を⒝に入れ、焼くときに、生地にオレンジスライスを1枚のせて焼く。

Q 子ども用にラム酒を水に代えてもよいですか？

水でもできますがラム酒で作ると軽い仕上がりになります。ラム酒のアルコール分は飛んでなくなり、マフィンには香りだけが残ります。

全粒ナッツマフィン

● ふわふわマフィン

全粒粉とナッツたっぷりの生地にシナモンを効かせた香ばしいマフィン。ときどき、どうしても作りたくなる味。

材料（マフィン型6個分）

Ⓐ 薄力粉…50g
　全粒粉…50g
　アーモンドプードル…25g
　シナモンパウダー…小さじ1
　ベーキングパウダー…小さじ1
　タンサン（重曹）…小さじ1/2

Ⓑ 豆乳…110g
　レモン果汁…20g
　なたね油…40g
　てんさい糖（またはメープルシュガー）…40g
　塩…ひとつまみ

Ⓒ お好みのナッツ…40g

1 ジャムマフィンの作り方（P.40）1〜3と同様にして生地を作り、ナッツを入れ、さっと混ぜる（飾り用のナッツを少し残しておく）。

2 ペーパーを敷いた型にスプーンで生地を入れ、飾り用のナッツをのせる。

3 180℃に温めたオーブンに入れ、10分焼いたあと170℃に下げ、15分焼く。熱いうちに、型ごと机にたたきつけて、型からはずす。粗熱が取れたら、ほんのり温かいうちにビニール袋に入れて密封する。常温で2日保存可。

ナッツはお好みのものを使ってください。一種類だけでも何種類か合わせてもおいしいです。ローストしてあるものはそのまま使い、生のものや湿気てしまったものは、160℃に温めたオーブンに入れ、10分ほど焼いてから使うと香ばしくなります。今回は、マカダミアナッツとカシューナッツで作りました。さらにドライレーズンも入れて、ずっしりとさせてもおいしいです。

10分
25分

おいしいアレンジ

「いちじくとカシューナッツのマフィン」
ナッツを20gに減らし、カットしたドライいちじく40gを加え、同様に作る。

「ジンジャーマフィン」
シナモンパウダーとナッツを入れず、豆乳110gを【豆乳100g＋しょうがの搾り汁10g】に代え、同様に作る。

Q タンサンがない場合、ベーキングパウダーだけでも作れますか？

ベーキングパウダーは縦にふくらみ、タンサンは横にふくらむ作用があります。両方入れることによってきれいな羽ができるのです。

● ふわふわマフィン

バナナマフィン

「バナナの粘りを利用したマフィンはしっとりふわふわできめ細かな仕上がり。ベリー類を入れてもよく合います。」

バナナの量は、マフィンがふわっと仕上がる配合にしてありますが、お好みでもっとたくさん入れて、もちもちのマフィンにしてもおいしい。全粒粉がなければ、薄力粉125gで作ってもOK。その場合、豆乳は5g減らします。ブルーベリーやラズベリーなど、フルーツを入れて焼いてもよく合うマフィンです。

10分
25分

材料（マフィン型6個分）

- Ⓐ 薄力粉…100g
  全粒粉…25g
  ベーキングパウダー…小さじ1
  タンサン（重曹）…小さじ1/2

- Ⓑ バナナ…70g
  レモン果汁…20g
  ラム酒…小さじ2

- Ⓒ 豆乳…60g
  なたね油…45g
  てんさい糖（またはメープルシュガー）…40g
  塩…ひとつまみ

- Ⓓ バナナ（スライス）…6枚

1 Ⓐをボウルに入れ、泡立て器でよくかき混ぜ、ダマを取る。

2 バナナはスライスして別のボウルに入れ、レモン果汁とラム酒をかけ、フォークの背で手早くつぶし〈a〉、泡立て器でよく混ぜ、粘りを出す。

3 2にⒸを加え、てんさい糖がとけるまでよく混ぜ、1も入れ、泡立て器でツヤが出るまで、ぐるぐると素早く混ぜる〈b〉。

4 ペーパーを敷いた型にスプーンで生地を入れ、Ⓓをそれぞれにのせる〈c〉。180℃に温めたオーブンに入れ、10分焼いたあと160℃に下げ、15分焼く〈d〉。熱いうちに、型ごと机にたたきつけて、型からはずす。粗熱が取れたら、ほんのり温かいうちにビニール袋に入れて密封する。常温で2日保存可。

おいしいアレンジ

「ココナッツバナナマフィン」
全粒粉の代わりにココナッツフレークで作る。

「バナナとベリーのマフィン」
生地にブルーベリー（またはラズベリー）40gを入れて同様に作る。豆乳クリームチーズ（P.109）を塗ってもおいしい。

「マーブルバナナマフィン」
マーブルマフィンの作り方（P.42）を参照して、生地の一部をチョコ生地にし、マーブル模様を作って同様に焼く。

「レモンバナナマフィン」
バナナマフィンにレモンカード（P.78）をかける。

● 秘密のケーキ

レモンマドレーヌと
チョコマドレーヌ

卵なしマドレーヌを作る場合、水分を増やすと中がもちもちになってしまい、かといって減らすと外がかたくなってしまいます。そこで秘密製法です。マドレーヌをクッキーのようにカリカリにかたく焼き上げ、熱いうちに冷たいシロップをこれでもかというくらい、たっぷりかけておくと、あら不思議！ 冷めたら、中も外も

ふっくらしっとりのマドレーヌに。この方法はマドレーヌとシロップの温度差があるほどよいので、シロップを冷蔵庫でしっかり冷やしておき、焼き上がったばかりのアツアツのマドレーヌに、大急ぎでかけるとうまくいきます。また、高温、短時間で焼くとかわいいおへそが出ます。

> コロンとふくらんで、ぷくっとおへそが出た
> しっとり美人マドレーヌ。
> お菓子界のアイドルを、秘密製法で作ります。

卵なしでも
ふわふわしっとり！

10 分
20 分

048

Q シロップがうまくしみこみません。

マドレーヌが熱いうちに塗らないと、ビショビショになります。
シロップがぬるくてもうまくいきません。熱いマドレーヌに冷たいシロップを！

◎レモンマドレーヌの作り方

材料（マドレーヌ型8個分）

Ⓐ 薄力粉…60g
　アーモンドプードル…15g
　ベーキングパウダー…小さじ3/4

Ⓑ 豆乳…60g
　なたね油…25g
　てんさい糖（またはメープルシュガー）…25g
　塩…ひとつまみ
　レモンの皮（すりおろし）…少々
　レモン果汁…5g

Ⓒ シロップ
　はちみつ（またはアガベシロップ）…15g
　水…10g
　レモン果汁…5g

＊レモンの皮がないときは、Ⓒにレモンエクストラクト小さじ1/2を入れる。

1　Ⓐをボウルに入れ、泡立て器でよくかき混ぜ、ダマを取る。

2　豆乳を別のボウルに入れ、レモン果汁を加えて泡立て器で混ぜ、とろみがついたら、なたね油を入れて乳化させ〈a〉、レモンの皮とてんさい糖、塩も入れ、てんさい糖がとけるまで混ぜる。1を入れて、泡立て器でぐるぐると、なめらかになるまで混ぜる〈b〉。

3　スプーンで生地を型に入れ〈c〉、表面をならし、180℃に温めたオーブンで20分焼く。Ⓒを混ぜ合わせてシロップを作り、冷蔵庫で冷やしておく。

4　焼き上がったら、熱いうちにハケでまんべんなくシロップを全量塗る〈d〉。

チョコマドレーヌの作り方

作り方

レモンマドレーヌの作り方（P.50）と同様にして作る。

＊レモンマドレーヌの作り方で、ココアを入れて作ります。チョコのお菓子を作るときは甘味を増やすのですが、このレシピはこれ以上増やすと焦げるので、シロップの甘味を増やして調節しています。

> かわいいおへそが出れば大成功！！

材料（マドレーヌ型8個分）

Ⓐ　薄力粉…50g
　　ココア…10g
　　アーモンドプードル…15g
　　ベーキングパウダー…小さじ3/4

Ⓑ　豆乳…60g
　　なたね油…25g
　　てんさい糖（またはメープルシュガー）
　　　………25g
　　塩…ひとつまみ
　　レモン果汁…5g

Ⓒ　シロップ
　　はちみつ（またはアガベシロップ）
　　　………20g
　　ラム酒（お酒が苦手な人は、水）
　　　………10g

かんたんアレンジ

マドレーヌの型以外に、紙の型を使っても上手にできる。

● 寝かせて作るケーキ

フィナンシェ

てんさい糖がとてもとけにくいレシピですが、メープルシロップなどの液体の甘味を使わずに、てんさい糖を生地にとかすことにより、豆腐となたね油がしっかりと乳化して、バターが入っているようなコクのある味になります。また、豆腐となたね油が分離してしまうと、油っぽいうえにパサついてしまうので、ここはがんばってしっかりとかしましょう。大胆にぐるぐる混ぜても大丈夫な生地です。

⏱ 10分
🔥 20分

材料（フィナンシェ型6個分）

Ⓐ 薄力粉…30g
　アーモンドプードル…30g
　ベーキングパウダー…2g

Ⓑ 豆腐（絹）…40g
　なたね油…25g
　てんさい糖（または
　メープルシュガー）…30g
　塩…少々
　バニラエクストラクト
　（またはラム酒）…小さじ1

Ⓒ スライスアーモンド
　　　　　　……好きなだけ

1 Ⓐをボウルに入れて、泡立て器でよくかき混ぜ、ダマを取る。

2 豆腐を別のボウルに入れ、いちじくのブラウニーの作り方（P.60）2と同様にして、なたね油と乳化させる〈a〉。てんさい糖と塩、バニラエクストラクトも入れ、てんさい糖がなるべくとけるまでよく混ぜる〈b〉。

3 2に1を入れ、泡立て器で粉っぽさがなくなるまで、ぐるぐると混ぜ、生地をまとめたら、ラップを生地に貼りつけるようにして、冷蔵庫で15分以上寝かせる。

4 スプーンで生地を型に入れ、スライスアーモンドをのせ〈c〉、170℃に温めたオーブンに入れ、10分焼いたあと160℃に下げ、10分焼く（紙型を使うときは、170℃で10分焼いたあと160℃に下げ、15分焼く）。粗熱が取れたら、ほんのり温かいうちにビニール袋に入れて密封する〈d〉。常温で3日保存可。

「本当にバターも卵も入っていないの?」と、きっと聞かれる、リッチな黄金ケーキ。

かんたんアレンジ

「ドライフルーツのフィナンシェ」
豆腐を50gにして生地を作り、紙カップ6個〈e〉に分け入れ、ドライプルーン、ドライいちじくなど、やわらかめのドライフルーツをのせ、冷蔵庫で30分ほど寝かせる。ドライフルーツが水分を吸ってふっくらしたら焼く。

「抹茶フィナンシェ」
抹茶小さじ1/2をⒶに入れ、てんさい糖5gを足し、同様に作る。

● 寝かせて作るケーキ

ラズベリーのフィナンシェ

コクのあるフィナンシェと甘酸っぱいラズベリーのかわいらしいお菓子です。

材料（紙カップ6個分）

Ⓐ フィナンシェの生地(P.52)
　…レシピ量
　スライスアーモンド
　　…好きなだけ
　ラズベリー（冷凍でもよい）
　　…30～36粒くらい

Ⓑ ツヤがけ用ジャムゼリー
　いちごジャム（裏ごししたもの）
　　…50g
　ラズベリー（冷凍でもよい）
　　…5粒くらい
　粉寒天…小さじ1/8

1　フィナンシェの作り方(P.52) 1～3と同様にして生地を作り、スプーンで紙カップに入れ、スライスアーモンドをのせ、指で押しつけるようにして生地の表面を平らにする（ラズベリーがのせやすくなる）。170℃に温めたオーブンに入れ、10分焼いたあと160℃に下げ、15分焼き、冷ましておく。

2　いちごジャムを裏ごしして50gにし、そこにラズベリーを5粒ほど加えてつぶす（鮮やかな色になる）。小鍋に入れ、粉寒天も加え、弱火で煮立て、全体的に細かい泡が立ったら火を止める。

3　冷ましたフィナンシェの表面にスプーンで2を少しずつ塗り〈a〉、ラズベリーを5～6粒ずつのせてくっつけ、上から2をかける〈b〉。一粒一粒がコーティングされるようにていねいに、ラズベリーから水分が出ないように素早くかける（冷凍ラズベリーは凍っているうちに素早く行なう）。

香ばしく焼き上げたフィナンシェに、ラズベリーをのせ、みずみずしいゼリーでツヤがけをします。かんたんなのに、テーブルに出すと「わっ」と歓声が上がるアレンジです。冷凍ラズベリーを使う場合は、凍ったままのラズベリーに、熱いゼリーを素早くかけると水っぽくなりません。

20分
25分

b　a

054

かんたんアレンジ

フィナンシェの作り方 (P.52) 1〜3と同様にして生地を作り、スプーンで紙カップに入れ、ラズベリーを3粒ずつのせる。170℃に温めたオーブンに入れ、10分焼いたあと160℃に下げ、20分焼く。焼き立てはサクッと香ばしく、ラズベリーがトロッととろけておいしい。

● 定番ケーキ

全粒パンケーキ

全粒粉が50％も入っているのに、しっとりふわふわ。冷めてもかたくならないパンケーキ。

このパンケーキをふわふわにするポイントは3つです。1.生地を寝かせて全粒粉に水分をしっかり吸わせること。2.中火で焼くこと。3.気泡が少ないうちに裏返すこと。弱火でゆっくり焼いていると、薄くてかたいパンケーキになります。生地に甘味を入れないのは、そのほうが焦げにくく、強めの火で焼けるから。気泡がたくさん出てくるまで待つと、ベーキングパウダーの反応が終わってしまい、生地も乾燥してしまうので、裏返したときにちっともふくらまず、干からびたかたいパンケーキになります。

材料（直径約12cmで6〜8枚くらい）

Ⓐ 薄力粉…100g
　全粒粉…100g
　ベーキングパウダー…小さじ2
　塩…小さじ1/4

Ⓑ 豆乳…300〜350g
　なたね油…20g

1 Ⓐをボウルに入れ、泡立て器で粉がふわっとするまでかき混ぜる。

2 真ん中をくぼませ、そこにⒷを加え、泡立て器で中心から外側に向かって、ツヤが出るまでしっかりとかき混ぜる〈a〉。

3 ボウルにラップをして冷蔵庫で20分ほど寝かせる〈b〉。

4 フライパンを熱し、なたね油（分量外）少々を敷き、おたまで3を直径約12cmの円形に広げ、中火で焼く。小さな気泡がいくつか出てきたら〈c〉すぐに裏返し、反対側も焼く。気泡が少ないうちに裏返すこと（悪い例〈d〉）。

d　c　b　a

5分
1分

おいしい食べ方
メープルシロップや豆乳クリームチーズ（P.109）、ジャムなどをつけて。甘くないので食事代わりにも。アツアツをオリーブオイルと塩で。

かんたんアレンジ
「ごまパンケーキ」黒いりごま大さじ2をⒶに入れて同様に作る。

Q 生地が余ったら翌日焼いてもOK？

翌日はふくらみが悪くなってしまいます。生地に豆乳を足し、全粒クレープとして楽しみましょう。

● 寝かせて作るケーキ

いちじくのブラウニー

このケーキは、生地を作ってから30分寝かせて焼きます。そうすると、ドライいちじくが水分を吸ってふっくらジューシーになり、ラム酒の香りが移ります。生地のほうは、余分な水分がなくなって濃厚になり、いちじくのフルーティーな香りが移るのです。また、なたね油と豆腐をしっかりと、かたく乳化させることによって、時間が経ってもケーキがパサついたり、油っぽくなったりしにくくなり、バターなしでも、しっとりしたおいしさを保てます。

> いちじくのねっとり感がおいしい贅沢なケーキ。ベーキングパウダーをギリギリまで減らして、ずっしりとコクのある味に仕上げます。

いちじくの食感が楽しい
リッチな大人ブラウニー

20 分

35 分

Q パウンド型で焼きたいのですが。　中まで火が通りにくい生地ですので、浅めの型で焼いたほうがおいしくできます。
大きめのパウンド型で浅めに焼くのはOKです。

◎いちじくのブラウニーの作り方

材料（18cm角型1台分）

- Ⓐ 薄力粉…90g
  - ココア…30g
  - アーモンドプードル…30g
  - ベーキングパウダー…小さじ1

- Ⓑ 豆腐（絹）…180g
  - なたね油…60g

- Ⓒ ラム酒…15g
  - てんさい糖
  - （またはメープルシュガー）…70g
  - はちみつ（またはアガベシロップ）
  - ………大さじ2
  - 塩…ひとつまみ

- Ⓓ ドライいちじく…150g

1 粉を混ぜる

Ⓐをボウルに入れ、泡立て器でよくかき混ぜ、ダマを取る。

2 豆腐と油を混ぜる

豆腐を別のボウルに入れ、泡立て器でたたきつけるようにしてつぶし、ペースト状になるまで混ぜる。なたね油を少しずつ加え、乳化させる。Ⓒも入れ、てんさい糖がとけるまでよく混ぜる。

天板も型に使えます！

{ POINT }

豆腐はたたきつけるようにつぶして

ペースト状になるまでしっかり混ぜ

なたね油を少しずつ加えて、乳化させる

おいしいアレンジ

「いちじくとアーモンドのブラウニー」4の工程で生地を寝かせたあと、アーモンド50gを入れて同様に作る。

「チョコクリームブラウニー」ドライいちじくの代わりに、刻んだくるみ100gを3の工程で入れ、生地を寝かせずに焼く。粗熱を取り、表面にチョコカスタードクリーム（P.93）を塗って冷蔵庫で冷やしてなじませる。とても濃厚なケーキなので小さくカットして食べるとおいしい。

5 焼く

170℃に温めたオーブンに入れ、10分焼いたあと160度に下げ、25分焼く。焼き上がりに竹ぐしを刺して、生地がつかなければOK。

3 合わせる

2に1を加え、泡立て器でぐるぐると混ぜて生地をまとめ、4つ割にしたⒹを入れ、ゴムべらでざっくりと混ぜる。

6 カットする

型から取りはずし、ケーキクーラーにおき、粗熱が取れたら、ほんのり温かいうちにビニール袋に入れて密封する。常温で3日保存可。少しずつカットして食べる。

4 寝かせる

生地にラップを貼りつけるようにして、冷蔵庫で30分寝かせ、クッキングシートを敷いた型に生地を入れる。

クッキングシートを敷いた型に入れる

ゴムべらで表面を整える

● 日持ちする濃厚なケーキ

ブランデーチョコレートケーキ

どこまでもしっとり濃厚な大人の味。
二晩寝かせてからが食べごろです。
少しずつカットして何日も楽しめます。

焼き上がったケーキが熱いうちに、冷たいブランデーシロップをたっぷりかけてしみこませ、そのまま密封して、少なくとも2日間は我慢します。開けてみると……シロップがケーキになじんで、それはもう驚くほど、しっとりと濃厚なケーキになるのです。ぜひ、小さくカットして食べてみてください。日持ちするので缶などに入れてプレゼントしても喜ばれます。ただし、お酒が苦手な人にはあまりおすすめしません。

材料（20cmのパウンド型1個分・または直径18cmのケーキ型1個分）

Ⓐ 薄力粉…75g
　ココア…30g
　アーモンドプードル…45g
　ベーキングパウダー…小さじ2

Ⓑ 豆腐（絹）…150g
　なたね油…60g

Ⓒ レモン果汁…15g
　てんさい糖（またはメープルシュガー）…80g
　塩…ひとつまみ

Ⓓ ブランデー…35g
　メープルシロップ…35g

1　Ⓐをボウルに入れ、泡立て器でよくかき混ぜ、ダマを取る。

2　豆腐を別のボウルに入れ、いちじくのブラウニーの作り方（P.60）2と同様にして、なたね油と乳化させ、Ⓒも入れ、てんさい糖がとけるまでよく混ぜる。

3　2に1を加え、ゴムべらで粉っぽさがなくなるまで素早く混ぜ、クッキングシートを敷いた型に生地を入れ、170℃に温めたオーブンで35分焼く。焼き上がりに竹ぐしを刺して、生地がつかなければOK。

4　Ⓓを合わせ、ケーキが熱いうちにまんべんなくかける〈a〉。粗熱が取れたら、ほんのり温かいうちにクッキングシートごとラップをして、ビニール袋に入れて密封する。冬は常温、夏は冷蔵庫で7日間保存可。

a

＊3の工程で、10分焼いたあと取り出して、包丁などで切りこみを入れてからオーブンに戻し、25分焼くと写真のように美しく仕上がる。

15分
35分

※写真は縦25cm×幅4cmほどの細長いパウンド型2本でレシピの1.5倍量を焼いています。

Q お酒が苦手なのですが、作ってみたいです。

シロップのブランデーを減らし、減らした分だけ水を足して作ってみてください。

●定番ケーキ

バナナケーキ

かためのバナナをつぶすと、ぬるぬるとした粘りが出てきます。この粘り気が卵の代わりとなり、空気をしっかり抱えてケーキをふわふわにふくらませてくれるのです。バナナにかけるジュースは、バナナの色止めだけではなく、ジュースの酸とベーキングパウダーを反応させて生地をふくらませるために入れます。みかん型など、真ん中が空洞になっているジュースで作るとケーキがきれいな色に仕上がり、香りも残りません。また、外側がカリッとするまで焼き上げたケーキに、たっぷりのツヤがけをすることによって、外も中もしっとりふわふわになり、乾燥を防ぐので日持ちがよくなります。リング型やクグロフ型で焼くと、真ん中が空洞になっている型で焼くとふんわり軽く焼き上がりますが、パウンド型で焼いても、ずっしりとバターケーキのような濃厚さが出ておいしいです。日持ちするのでお土産やプレゼントにも喜ばれます。

> おいしくて日持ちする、
> 教室でも人気のケーキです。
> まだ熟していない、
> かためのバナナを使うのがポイント。

焼き上がりは外がカリカリ。
ツヤがけでしっとりさせます

20分

45分

064

Q 豆腐と油が分離してしまいます。

豆腐に油をほんの少量ずつ加えて、泡立て器でしっかり混ぜます。乳化してからその都度、油を加えるようにします。

◎バナナケーキの作り方

材料（直径18cmのリング型1個分）

- Ⓐ 薄力粉…150g
  ベーキングパウダー…小さじ2

- Ⓑ 豆腐(絹)…40g
  なたね油…65g
  てんさい糖(または
  メープルシュガー)…60g
  (バナナの甘さによって調節)
  塩…ひとつまみ

- Ⓒ バナナ(かためのもの)…120g
  みかんジュース
  (またはりんごジュース)…50g

- Ⓓ くるみ、アーモンドなど
  お好みのナッツ…30g

- Ⓔ ツヤがけ
  粉寒天…小さじ1/2
  あんずジャム…30g
  メープルシロップ…30g
  みかんジュース
  (またはりんごジュース)…20g

1 粉をふるう

ボウルにざるをのせ、Ⓐを入れ、泡立て器を使って粉をふるい落とし、最後は手で落とす（粉のダマがなくなり、短時間で混ざりやすくなる）。

2 豆腐と油を混ぜる

豆腐を別のボウルに入れ、いちじくのブラウニーの作り方（P.60）2と同様にして、なたね油と乳化させ、てんさい糖と塩も入れ、てんさい糖がとけるまでよく混ぜる。

{ POINT }

- バナナはよくつぶして粘りを出す
- 泡立て器の中に入れ、ボウルのふちで柄をたたいて生地を落とす 

さまざまな型で楽しめます！

おいしいアレンジ

「レモンバナナケーキ」（P.68）

焼き上がったケーキに、ツヤがけの代わりに、レモンカード（P.78）をかければ（P.2参照）レモンバナナケーキになる。完全に冷めたバナナケーキにアツアツのレモンカードをかけると、きれいに仕上がる。

・・・

「バナナフルーツケーキ」（P.69）

Ⓓのナッツ30gの代わりに【ラムレーズン60g＋くるみ50g＋シナモンパウダー小さじ1】を入れ、パウンド型で焼く。お酒が苦手な人は、お好みのドライフルーツに熱い紅茶（アールグレイがおすすめ）をひたひたに注ぎ、一晩置いたものを水切りして使ってもおいしい。15cmくらいの小さなパウンド型で2本焼くと上手にできる。

3 バナナをつぶす

すじを取り、カットしたバナナを小さめのボウルに入れ、みかんジュースをかけ、フォークの背を使って手早くつぶし、泡立て器でよく混ぜ、粘りを出す。

4 合わせる

3を2に入れて泡立て器でかくはんし、そこに1を一度に入れ、泡立て器の中に素早く4〜5回通すようにして粉を分散させたら、ゴムべらでボウルの底からざくっと返して、粉っぽさがなくなるまで混ぜる。Ⓓも加え、軽く混ぜる。

4〜5回泡立て器に通して粉を分散させ

ゴムべらでざっくり返し、ふわっと空気を含んでいるような感じに

5 焼く

生地を型に入れ、型を揺すって表面をならし、型の真ん中の部分をへこませる（真ん中が一番ふくらむので、こうするときれいに仕上がる）。170℃に温めたオーブンで45分焼く。焼き上がったらケーキクーラーにのせて粗熱を取る。

6 ツヤがけをする

Ⓔを小鍋に入れ、スプーンでジャムをつぶすように混ぜながら、弱火にかけて沸騰させる。細かい泡が全体的に出て、粘りが出てきたら火を止め、ハケで素早くまんべんなく塗る。カットしていない状態で、ラップをして常温で5日くらい保存可。

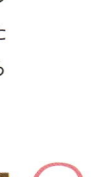

細かい泡が全体に出て、粘りが出てきたら火を止める

Cake

レモンバナナケーキ（作り方はP.67）

Q レモンカードを
きれいに塗れません。

レモンカードは少しずつ塗るより、一度にかけるとうまくいきます。
ケーキを完全に冷ましておき、アツアツのレモンカードをドバッとかけましょう（P.2参照）。

バナナフルーツケーキ（作り方はP.67）

Q 大きなパウンド型でも作れますか？

大きなパウンド型で焼くと生地が詰まりやすくなります。大きな型で焼きたいときは、リング型など、真ん中が空洞になっているものがおすすめです。

Tarte

タルト

タルト台、クリームなど、各パーツを作りおきして組み合わせるお菓子。
それぞれのパーツはそれだけでも楽しめますし、テーブルの上で自由にのせて食べても楽しい。
そして、いくつかのパーツが集まったある日、
華やかなタルトを瞬く間に完成させて、みんなをあっと驚かせましょう。

● 基本のタルト台

ざくざくタルト

生地が10分でできる、ごくかんたんなタルトです。なたね油にピーナッツペーストをとかし、それを泡立て器で粉に混ぜこんで、ポロポロの状態を作ると、バターを使わなくても、サクサクのタルトができます。焼きちぢみしないので、寝かせる必要がなく、タルトストーンもいりません。これを作って密閉容器に保存しておけば、いつでもおいしいタルトが楽しめます。

「寝かせずに作る、ざくざくした素朴なタルト。」

ざくざくタルトの生地でいろんなタルトが作れます！

10分

25分

Q 手が温かい人は
なぜ泡立て器を使うとよいのですか？

粉の温度が上がってしまうとグルテンができやすく、
サクサクしないタルトになってしまうからです。

ざくざくタルトの作り方

材料（直径18cmのタルト型1個分）

- Ⓐ 薄力粉…60g
  - 全粒粉…60g
  - てんさい糖（または メープルシュガー）…20g
  - 塩…ふたつまみ

- Ⓑ なたね油…40g
  - ピーナッツペースト（または白ねりごま）…10g
  - 豆乳…15〜20g

1 粉を混ぜる

Ⓐをボウルに入れ、泡立て器でよくかき混ぜ、ダマを取る。

2 油を混ぜる

Ⓑのなたね油とピーナッツペーストをよく混ぜる（これがバターの代わりになる）。

> タルトレット型で作ると10〜12個できます。

{ POINT }

- 泡立て器を使うと、手が温かい人でも上手に作れます（手が冷たい人は手でOK）
- 型で生地の大きさをチェック 
- 上のラップをはがし、下側から生地を持ち、型にかぶせる 

074

3 油を加える

1に2を加え、泡立て器でかき混ぜ、ポロポロの状態にする。全体的に粉っぽいところがなくなるまで、よくかき混ぜる（生地が中に詰まったときは、左右に強く振れば取れる）。

4 豆乳を加える

豆乳を入れ、ゴムべらで生地をひとまとめにする。

5 型に敷く

2枚のラップで生地をはさみ、軽く整え、めん棒で厚さ4mmくらいにのばし、タルト型に敷く（型にオイルを塗っておくと、はずしやすい）。生地の上からめん棒を転がし、余った生地を取り除く。

6 焼く

フォークで穴を開け、180℃に温めたオーブンに入れ、10分焼いたあと160℃に下げ、15分、サクッとするまで焼く。粗熱を取り、型からはずす（熱いうちにはずすと割れやすい）。

すきまができないように、ていねいに敷きこむ

めん棒を転がし、余分な生地をカット

最後にラップをゆっくりはがす

かんたんアレンジ

小さなタルトレット型で作る場合は、5でのばした生地に、タルトレット型を押し当てくり抜く〈a〉。生地を型に詰め、型に合わせて指で形を整える〈b〉。縁を整えると仕上がりが美しい〈c〉。フォークで穴を開け〈d〉、6と同様に焼く。

おいしいアレンジ

「ゼリータルト」（P.77）
タルトレット型で作ったざくざくタルトに、ジャムゼリー（P.76）をのせる。
「レモンタルト」（P.79）
タルトレット型で作ったざくざくタルトに、レモンカード（P.78）をのせる。

> かんたんに作れて
> あると大活躍！
> **お菓子の小物**

材料（作りやすい分量）

お好みのジャム（砂糖不使用のもの）
　　　　　　　　　　　　…100g
粉寒天…小さじ1/4

作り方

1. 小鍋にジャムと粉寒天を入れ、よく混ぜ、弱火にかけて、たえずかき混ぜながら、全体的にふつふつと泡が立つくらいまで煮立て〈a〉、火を止める。

2. 少し粗熱を取り、ほんのり温かい状態で（冷めるとかたまる）タルトに詰めたり〈b〉、クッキーにはさんだりする。ティーゼリーにするときは、容器に入れ、冷やしかためる。冷蔵庫で4〜5日保存可。

b　a

＊再びやわらかくしたいときは、小鍋に入れ、ごく弱火で加熱する。

ジャムゼリー

市販のジャムに寒天を加えて、煮立てただけのものですが、ジャムサンドクッキー（P.21）やゼリータルト（P.77）などに大活躍。お弁当箱などでかためて、ナイフで小さくカットすると、お茶の時間にうれしい「ティーゼリー」となります。フルーティーなおいしいジャムで作りましょう。

ゼリータルト（作り方はP.75）

Q ジャムを入れるとタルト台がしっとりしてしまいます。

ジャムが熱いうちに入れると、かたまるまで時間がかかって、ジャムの水分でしっとりしてしまいます。粗熱を取り、ほんのり温かいくらいで詰めましょう。

かんたんに作れて
あると大活躍！
お菓子の小物

レモンカード

卵もバターも使わない純植物性のレモンカードです。ターメリックを入れるとほんのり卵色になりますが、なくてもおいしくできます。むしろ入れすぎるとひどい味になりますので、ほんの少々にしてください。オーガニックショートニングを使うことによって冷蔵庫でかたくなり、レモンカードそのものの食感を出すことができますが、なければなたね油でも十分おいしくできます。

作り方

1 Ⓐを鍋に入れ、よく混ぜてとかし、中火にかける。

2 沸騰したら〈a〉弱火にし、木べらでかき混ぜながら3分煮る（ここでしっかり水分を飛ばすことで、あとではちみつを入れたときにゆるまない）。

3 Ⓑを加え、よく混ぜ、弱火でひと煮立ちさせて火を止める。

4 Ⓒを入れ、泡立て器で乳化させる〈b〉。少し粗熱を取り、ほんのり温かい状態で、タルトに詰めたり〈c〉、ケーキにかけたりする。保存するときは、そのまま冷やしかためる。

材料（作りやすい分量）

Ⓐ 豆乳…100g
  くず粉…5g
  塩…ひとつまみ
  ターメリック…ごく少々

Ⓑ はちみつ
  （またはアガベシロップ）…60g
  レモン果汁
  …20g（約レモン1/2個分）

Ⓒ オーガニックショートニング…50g
  （またはなたね油30g）
  レモンの皮（すりおろし）…1/2個分
  （またはレモンエクストラクト小さじ1/2）

＊なたね油で作るときは、Ⓐに
【粉寒天 小さじ1/4（0.5g）】を入れる。

レモンタルト（作り方はP.75）

Q レモンカードを
なたね油で作ったらゆるくなりました。

なたね油は冷やしてもかたまりません。
なたね油で作るときは粉寒天を入れてください。

● シンプルタルト

アーモンドクリームタルト

コクのあるアーモンドクリームとざくざくタルトのシンプルな組み合わせ。

アーモンドクリーム（P.93）にレモン果汁とごく少量のベーキングパウダーを加えると、ふわっとふくらみます。小さなタルトに入れて焼けば、真ん中がぽこっと出て、お花のようにかわいらしいお菓子に。次の日も味が変わらないので、プレゼントにも向いています。アーモンドクリームをレシピの2倍量で作り、18cmのタルト型で大きく作っても華やかです。

材料（約6個分）

- Ⓐ ざくざくタルトの生地(P.74)
  …レシピ量の1/2

- Ⓑ アーモンドクリーム(P.93)…レシピ量
  レモン果汁…小さじ1/2
  ベーキングパウダー…ふたつまみ（なくてもよい）

- Ⓒ スライスアーモンド…好きなだけ

1 アーモンドクリームにレモン果汁とベーキングパウダーを加え〈a〉、泡立て器でよく混ぜる。

2 ざくざくタルトの作り方(P.74) 1〜4と同様にして作った生地をのばして、型に敷き、フォークで穴を開け〈b〉、1を入れる〈c〉。

3 スライスアーモンドを散らして、170℃に温めたオーブンに入れ、10分焼いたあと160℃に下げ、20分、こんがりするまで焼く。

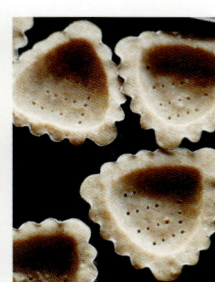

c　b　a

おいしいアレンジ

「ラムレーズンタルト」
2の工程でタルト生地にラムレーズンを好きなだけ敷き、1を入れて同様に焼く。

20分
30分

Q 大きなタルト型で作る場合、焼き時間と温度は同じですか？

生地の厚さで焼き時間は調節してください。
18cmのタルト型で作れば同じでOKです。

● シンプルタルト

フルーツのタルト

> タルトにカスタードクリームを詰めて
> お好みのフルーツをのせるだけ。

突然、お客さまがやって来ても、タルトさえ作りおきしてあれば大丈夫。テーブルにタルト、クリーム、フルーツを用意して、自由に詰めながら食べると、やわらかいトロトロのクリームとサクサクのタルトが楽しめます。フルーツはやわらかめのものがよく合います。ラズベリーや桃、ラ・フランスなどもおすすめ。

10分
25分

材料（タルトレット型 8〜12個分）

- ざくざくタルト（タルトレット型・P.74）…レシピ量
- カスタードクリーム（P.92）…レシピ量
- お好みのフルーツ…好きなだけ

作り方

粗熱が取れたざくざくタルトにカスタードクリームを詰め〈a〉、お好みのフルーツをのせる〈b〉。

b　　　a

おいしい食べ方

「あつあつカスタードタルト」ざくざくタルトに、でき立ての熱いカスタードクリーム（P.92）をのせて、シナモンパウダーを振ってすぐに食べると、止まらないおいしさです。

082

Q　前日に作っておくことはできますか？　　カスタードクリームに粉寒天小さじ1/3を入れて作れば大丈夫です。

● シンプルタルト

チョコバナナタルト

チョコクリームとバナナ、あんずジャムがよく合います。このタルトは少しなじませてから食べるとおいしい。

チョコカスタードクリームに粉寒天を少々入れて作り、ほんのり温かいうちにタルト台に詰めると、しっかりかたまってきれいにカットできます。また、バナナにあんずジャムで作ったツヤがけをすると、時間が経っても黒くなりません。バナナの代わりにブルーベリーで作ってもおいしい。その場合、あんずジャムをブルーベリージャムに、みかんジュースをりんごジュースにして作ります。

材料（直径13cmのタルト型2個分）

- Ⓐ ざくざくタルト（直径13cmのタルト型2個・P.74）
  　　…レシピ量
  バナナ…3本くらい
  レモン果汁…適量

- Ⓑ チョコカスタードクリーム（P.93）…レシピ量
  粉寒天…小さじ1/3

- Ⓒ ツヤがけ
  粉寒天…小さじ1/2
  あんずジャム…30g
  メープルシロップ…30g
  みかんジュース（またはりんごジュース）…20g

1 チョコカスタードクリーム（P.93）のⒷの材料に粉寒天を入れて同様に作り、ほんのり温かいうちにざくざくタルトに詰める。

2 バナナにレモン果汁をかけてスライスし〈a〉、1に放射状に並べていく〈b〉。

3 Ⓒを小鍋に入れ、スプーンでジャムをつぶすように混ぜながら、弱火にかけ、沸騰させる。細かい泡が全体的に出て、粘りが出てきたところで火を止め〈c〉、ハケかスプーンで、まんべんなくバナナに塗る〈d〉。

＊直径18cmのタルト型で作ると、ちょうど1個分です。

10分
25分

Q タルトがサクッとしません。　焼き足りないとサクッとしませんので、もう少し長く焼いてみてください。

おいしいアレンジ

「レモンバナナタルト」
チョコカスタードクリーム(P.93)の代わりに、レモンカード(P.78)をタルト台に詰め、同様に作る。

● シンプルタルト

りんごのタルト

りんごを一度煮てから使うので、どんなりんごでもおいしくできます。たとえば、酸味の少ないりんごのときはレモン果汁を増やし、甘味が足りないりんごのときは甘味を増やします。古くなってふかふかになってしまったりんごも、カットしたあと塩水に5分ほど浸けて、アクを抜いてから作ると、あたらしいりんごで作ったようなきれいな色に仕上がります。ただし、どんなりんごも決して煮すぎないこと。それがこのタルトの一番のポイントです。

材料（直径18cmのタルト型1個分）

- Ⓐ ざくざくタルト（直径18cmのタルト型・P.74）…レシピ量
  りんご（小）…2個（正味300gくらい）

- Ⓑ カスタードクリーム（P.92）…レシピ量
  粉寒天…小さじ1/3

- Ⓒ りんごジュース…150g
  レモン果汁…10g
  はちみつ（またはアガベシロップ）…10g
  塩…ひとつまみ

- Ⓓ ツヤがけ
  りんごの煮汁…80g
  くず粉…小さじ1/2
  粉寒天…小さじ1/2
  レモン果汁…5g
  はちみつ（またはアガベシロップ）…15g

1 りんごは4つ割りにして厚さ5mmのくし形にカットし〈a〉、鍋に入れ、Ⓒを加える。強火にかけ、沸騰したら弱火にし、3分煮てそのまま冷ます。

2 カスタードクリーム（P.92）のⒷの材料に粉寒天を入れて同様に作り、ほんのり温かいうちにタルトに詰める。1の水気を切り、クリームの上に飾る〈b〉。

3 小鍋にⒹを入れ、よく混ぜる。中火にかけ、沸騰したら〈c〉弱火にして、2分加熱し、熱いうちに2のりんごの表面にハケでまんべんなく塗る〈d〉。

10分
25分

「秋になったら作りたい、やさしい味のタルト。りんごを美しい色に仕上げましょう。」

Q りんご以外ではどんな果物が合いますか？　　ラ・フランスで作ってもおいしいです。

● 特別な日のタルト

ベリーのタルト

タルト、アーモンドクリーム、カスタードクリーム、フルーツ、ツヤがけジャムゼリー……。今まで紹介したものを、すべて詰めこんだ華やかなタルトです。といっても作り方はかんたんで、ほとんど重ねるだけ。時間のあるときに、クリームやタルト台をせっせと作っておけば、あっという間に完成します。タルトにいろいろなパーツを順番に重ねていく作業は、とても楽しいものです。

> 「いつもより少しだけ手のかかる、おめかしタルト。お誕生日や記念日に、ぜひ作ってみてください。」

カットするとクリームがとろりと出てきます。

10分

30分

088

Q カスタードクリームなしでもできますか？

できます。その場合、ツヤがけ用ジャムゼリーをたっぷり用意して、ゼリーを薄くのばし、その上にフルーツをのせてからツヤがけするとおいしくできます。

ベリーのタルトの作り方

材料（直径18cmのタルト型1個分）

Ⓐ
- ざくざくタルトの生地（P.74）…レシピ量
- アーモンドクリーム（P.93）…レシピ量
- カスタードクリーム（P.92）…レシピ量
- お好みのベリー…400gくらい

Ⓑ ツヤがけ用ジャムゼリー
- いちごジャム（裏ごししたもの）…100g
- ラズベリー（冷凍でもよい）…10粒くらい
- 粉寒天…小さじ1/4

1 生地を作る

ざくざくタルトの作り方（P.74）1〜5と同様にして生地を作り、オイルを塗った型に敷き、フォークで穴を開ける。

2 クリームを入れる

アーモンドクリームを生地に入れる。

おいしいベリーで作りましょう

{ POINT }

◀ ジャムゼリーをかけて ◀ お好みのベリーをのせて

かんたんアレンジ

小さなタルトレット型でたくさん作ってもかわいい。

フルーツがないときは、カスタードクリームの上にツヤがけ用ジャムゼリーだけを流しこんでもおいしい。

おいしいアレンジ

カスタードクリームの部分をチョコカスタード（P.93）に代えれば「ベリーチョコタルト」になる。

3 焼く

170℃に温めたオーブンに入れ、10分焼いたあと160℃に下げ、20分、こんがりするまで焼き、ケーキクーラーにのせ、粗熱を取る。

4 クリームをのせる

カスタードクリーム（冷めたもの）をタルトに入れる。

5 ツヤがけを作る

いちごジャムを裏ごしして100gにする。ラズベリーを加え、つぶす（鮮やかな色になる）。小鍋に入れ、粉寒天を加え、弱火で煮立て、全体的に細かい泡が立ったら火を止める。

6 仕上げる

カスタードクリームの一面にベリーをのせ、5をスプーンでかける。さらにベリーをのせていき、ツヤがけゼリーもかけていく。一粒一粒がコーティングされるように、ていねいに素早くかけるとよい。

さらにベリーをのせて

さらにツヤがけして仕上げる

カットすると2層のクリームがとてもきれいに見える

> かんたんに作れて
> あると大活躍！
> お菓子の小物

カスタードクリーム

このクリームの最大のコツは、最初に粉をなたね油にとかすこと。こうすると、ふるわなくてもさらさらにとけてダマがなくなり、鍋底にもつきにくく、なめらかでツヤのあるクリームができます。大きなタルトに使うときは、粉寒天小さじ1/3をⒷに入れて作ると、しっかりかたまってきれいにカットできます。小さなタルトやデザートには、やわらかいままのほうがおいしい。ビスケット（P.16）で、クリームをすくいとって食べたり、マフィンの表面に塗ったり、熱いうちにバナナと重ねて冷蔵庫で冷やせば、ぷるぷるっとプリンのようにかたまっておいしい「バナナカスタード」になります。

材料（作りやすい分量）

Ⓐ 薄力粉…25g
　なたね油…25g

Ⓑ 豆乳…250g
　てんさい糖（またはメープルシュガー）…45g

Ⓒ バニラエクストラクト…小さじ2
　（またはバニラビーンズ1/2本）

作り方

1. Ⓐを鍋に入れ、ダマが完全になくなり、なめらかになってツヤが出るまで、木べらでよく混ぜる。

2. Ⓑを加えてよく混ぜ、中火にかけ、たえずかき混ぜ、沸騰したら弱火にし、常にふつふつしている状態で3分煮て、火を止める。Ⓒを入れ、よく混ぜる。

＊バニラビーンズを使う場合は、さやの中身をしごき出し、Ⓑと一緒に入れる。

アーモンドクリーム

タルトにのせて焼くとコクのあるおいしいクリーム。混ぜるだけでできます。

材料（作りやすい分量）

Ⓐ アーモンドプードル…50g
　薄力粉…10g
　塩…ひとつまみ

Ⓑ 豆腐（絹）…40g
　なたね油…25g
　てんさい糖
　（またはメープルシュガー）
　　　　　　…35〜40g
　ラム酒…小さじ1

作り方

1. Ⓐを小さめのボウルに入れ、泡立て器でよく混ぜる。

2. 豆腐を別のボウルに入れ、いちじくのブラウニーの作り方（P.60）2と同様にして、なたね油と乳化させる。てんさい糖とラム酒も入れ、てんさい糖がなるべくとけるまでよく混ぜる〈a〉。

3. 1を加えて、泡立て器で粉っぽさがなくなるまで、ぐるぐると混ぜる。このまま使えるが、冷蔵庫でしばらく寝かせてから使うと、てんさい糖がしっかりとけてさらにおいしくなる。

＊クリームを作ったところで力尽きた人は、ぜひ食パンに塗って焼いてみてください。とびきりおいしい菓子パンになります。

チョコカスタードクリーム

ピーナッツペーストでチョコのコクを出したココア入りカスタードクリーム。

材料（作りやすい分量）

Ⓐ 薄力粉…25g
　ココア…12g
　なたね油…25g

Ⓑ てんさい糖（または
　メープルシュガー）…55g
　豆乳…250g
　ピーナッツペースト…小さじ1

Ⓒ ラム酒…小さじ2と1/2

作り方

カスタードクリームの作り方と同様にして作る。お酒の弱い人は、ラム酒を入れてからひと煮立ちさせ、アルコール分を飛ばすこと。

Scone

スコーン

素早く作って、焼き立てを楽しむお菓子。
もっともかんたんで、もっとも難しいのがこのスコーン。
確信をもった素早い作業が必要です。

まずオーブンを温め、
温めている間に素早く生地を作り、
スコーンを焼いている間にお茶を入れ、
冷蔵庫からとっておきのジャムやクリームを出す。

こんなことが、かんたんにできるだけで、
人生の悩みの半分くらいは消えてなくなるはずです。

● スピードスコーン

とうもろこし粉スコーン

ボウル1個で、5分以内に生地ができるスピードスコーン。最初になたね油と粉類をポロポロに混ぜてから、豆乳を入れて素早くまとめる作り方です。コーンミールを入れることで、生地が軽くなって、ふわっと立ち上がります。ただし、素早く作業をしないと上手にできないスコーンでもあります。生地ができた段階で、きれいな層になっていれば成功間違いなし。切り口を決してさわらないようにして、しっかり温めたオーブンに入れれば、狼の口がパクッと開いて、サクサクの層ができます。「きなこスコーン」「ライ麦フルーツスコーン」（P.100）も同じ作り方です。

> 狼の口のところから割って食べます！

「外はザクザク、中はふんわりの素朴な味。忙しい朝にもすぐできる、いつものスコーン。」

5分

15分

Q なぜ断面をさわってはいけないのですか？　　断面の層がつぶれるとオオカミの口が開きにくくなってしまうからです。

◎とうもろこし粉スコーンの作り方

材料（4個分）

- Ⓐ 薄力粉…100g
  - コーンミール…25g
  - てんさい糖（または メープルシュガー）…15g
  - ベーキングパウダー…小さじ1
  - 塩…ふたつまみ

- Ⓑ なたね油…30g
  - 豆乳…40g（要調節）

1 粉を混ぜる

Ⓐをボウルに入れ、泡立て器でよくかき混ぜ、ダマを取る。

2 油を加える

なたね油を加え、泡立て器で素早く混ぜ、ポロポロの状態にする（生地が中に詰まったときは、左右に強く振れば取れる）。

> カットして重ねることで生地に層を作っていきます

{ POINT }

縦にカットして  ◀ 重ねる  ◀ 軽く四角に整えて

おいしい食べ方

アツアツを割って、メープルシロップをかける。

粗熱が取れてから、冷たいレモンカード（P.78）を塗る。

スープと一緒に食べて朝ごはんに。

かんたんアレンジ

焼く前に表面に豆乳を塗るとツヤが出ておいしそうになる。

四角くカットしてもよい。

おいしいアレンジ

お好みでこしょうやドライバジルなどを○に入れてもよい。その場合は、てんさい糖を10gにして、塩を3つまみにすると、おいしい食事用のスコーンになる。

3 豆乳を加える

豆乳も入れ、ボウルを回してゴムべらで素早く混ぜ、生地をひとまとめにする（ゆっくり混ぜるとムラになり、粘りが出てかたい生地になる）。

4 切って重ねる

まな板の上に生地をおき、軽く四角に整える。スケッパーを使って、生地を2つにカットしては重ねる作業を2回くり返す。

5 カットする

軽く四角に整え、4つにカットする（4、5を素早く行い、断面は絶対に触らない）。

6 焼く

クッキングシートを敷いた天板におき、200℃に温めたオーブンに入れ、15分焼く。

横にカットして  ◀ 重ねる  ◀ 軽く四角に整え、4つにカット

スピードスコーン きなこスコーン

きな粉で軽さを出した純和風スコーン。ほうじ茶とともに食べたい、ひなびた味。

⏱ 5分 / 🔥 15分

材料（4個分）

- Ⓐ 薄力粉…100g
  きなこ…25g
  てんさい糖（またはメープルシュガー）…15g
  ベーキングパウダー…小さじ1
  塩…ふたつまみ

- Ⓑ なたね油…30g
  豆乳…45g（要調節）

■ 作り方

とうもろこし粉スコーンの作り方（P.98）1〜5と同様にして生地を作る。クッキングシートを敷いた天板におき、200℃に温めたオーブンに入れ、15分焼く。

おいしい食べ方
あずきあんをのせる。きなこバタークリーム（P.24）をのせる。

・・・

おいしいアレンジ
黒いりごま大さじ1をⒶに入れて「ごまきなこスコーン」。

スピードスコーン ライ麦フルーツスコーン

ほんのり酸味のあるライ麦粉と甘酸っぱいドライフルーツの組み合わせ。ずっしり食べごたえのあるスコーン。

⏱ 10分 / 🔥 15分

材料（4個分）

- Ⓐ 薄力粉…100g
  ライ麦粉…25g
  てんさい糖（またはメープルシュガー）…15g
  ベーキングパウダー…小さじ1
  塩…ふたつまみ

- Ⓑ なたね油…30g
  豆乳…40g（要調節）

- Ⓒ お好みのドライフルーツ…30g
  ラム酒（またはりんごジュース）…5g

作り方

1. ドライフルーツにラム酒をからめ、ふやかしておく。
2. とうもろこし粉スコーンの作り方（P.98）1〜3と同様にして生地を作る。
3. まな板の上にドライフルーツをおき、その上に生地をおいて軽く押さえ、四角に整える。とうもろこし粉スコーンの作り方（P.99）4、5と同様に、カットしては重ねる作業を2回くり返し、軽く四角に整え、4つにカットする（素早く行い、断面は絶対触らない）。この工程でドライフルーツを入れると、最初から混ぜるより、きれいな層になる。
4. クッキングシートを敷いた天板におき、200℃に温めたオーブンに入れ、15分焼く。

ドライフルーツは1種類でも、何種類か合わせてもおいしい。あんずやいちじくなど、大きなものはカットして使います。ドライフルーツがかたいときはラム酒を少し増やし、やわらかいときは減らします。ここではカランツとドライパイナップルで作りました。

とうもろこし粉スコーンと同じ作り方で
和風にも洋風にもアレンジ自在です。

Q ライ麦粉がありません。　　全粒粉でもおいしくできます。

● 失敗しないスコーン

ヘタスコーン

だれでもかんたんに狼の口が開きます。
外はサクサク、中はふんわりしっとり、
ヘタでもできる魔法のスコーン。

10分

15分

液体の材料をすべて混ぜておき、最後に粉と合わせる作り方です。レモン果汁の酸で豆乳にとろみをつけ、なたね油と乳化させやすくするのがポイント。これで生地の中に均等にオイルが散らばり、油浮きしません。切って重ねて層を作れば、今度はベーキングパウダーとレモンの酸が反応して、ふわっと立ち上がります。初めてスコーンを作る方は、このスコーンから始めるのがおすすめ。「チョコレートスコーン」「バナナスコーン」（P.104）も同じ作り方です。

材料（6個分）

Ⓐ 薄力粉…100g
　アーモンドプードル…25g
　てんさい糖（または
　メープルシュガー）…15g
　ベーキングパウダー
　　　　　…小さじ1と1/3
　塩…ふたつまみ

Ⓑ なたね油…30g
　豆乳…40g（要調節）
　レモン果汁…5g

＊夏場はⒷを冷蔵庫で冷やしておくと上手にできる。

1. Ⓐをボウルに入れ、泡立て器でよくかき混ぜ、ダマを取る。

2. Ⓑを小さめのボウルに入れ、泡立て器でよく混ぜ、乳化させる〈a〉。

3. 2を1に加えて〈b〉、ボウルを回してゴムべらで素早く混ぜ、生地をひとまとめにする〈c〉。

4. とうもろこし粉スコーンの作り方（P.99）4、5と同様に、カットしては重ねる作業を2回くり返し、軽く四角に整える。4.5cmの丸い抜き型を使って4つ抜き〈d〉、余った生地をまとめて1つ抜き、さらに余った生地をまとめて1つにする。

5. クッキングシートを敷いた天板におき、200℃に温めたオーブンに入れ、15分焼く。

おいしい食べ方
豆乳クロテッドクリーム（P.108）とジャムをたっぷりつける。

•••

かんたんアレンジ
レーズン30gを3の工程のときに入れて同様に作ると「フルーツスコーン」になる。

Q 三角にカットしてはダメですか？

もちろんOKです。ほかのスコーンのようにカットして焼いてもおいしくできます。

● 失敗しないスコーン
チョコレートスコーン

だれが作っても美しい層ができる甘いスコーン。翌日もおいしいのでプレゼントにもぴったり。

🥣 10分
🔲 15分

■ 作り方

ヘタスコーンの作り方（P.102）1〜4と同様にして生地を作る。クッキングシートを敷いた天板におき、200℃に温めたオーブンに入れ、10分焼いたあと、180℃に下げ、5分焼く。

材料（4個分）

Ⓐ 薄力粉…100g
　ココア…15g
　アーモンドプードル…15g
　てんさい糖（または
　メープルシュガー）…30g
　ベーキングパウダー
　　　　　…小さじ1と1/3
　塩…ひとつまみ

Ⓑ なたね油…30g
　豆乳…45g（要調節）
　レモン果汁…5g

＊夏場はⒷを冷蔵庫でよく冷やしておくと上手にできる。

おいしいアレンジ

「カットして重ね」の工程のときに、カシューナッツ30gを入れて「ナッツチョコスコーン」。
シナモンパウダー小さじ1/2をⒶに入れて「シナモンチョコスコーン」。

● 失敗しないスコーン
バナナスコーン

ふんわり甘い香りで子どもたちに大人気。ホットビスケットのような食感でおやつに最適。

🥣 10分
🔲 15分

■ 作り方

ヘタスコーンの作り方（P.102）1〜4と同様にして生地を作る。バナナは、なたね油とともに小さめのボウルに入れ、フォークでよくつぶし、豆乳を入れ、クリーム状に乳化させてから粉に混ぜる。クッキングシートを敷いた天板におき、200℃に温めたオーブンに入れ、15分焼く。

材料（4個分）

Ⓐ 薄力粉…100g
　全粒粉…25g
　てんさい糖（または
　メープルシュガー）…20g
　ベーキングパウダー
　　　　　…小さじ1と1/3
　塩…ひとつまみ

Ⓑ バナナ…50g
　なたね油…25g
　豆乳…20g（要調節）

＊夏場はⒷを冷蔵庫でよく冷やしておくと上手にできる。

おいしい食べ方

水切り豆乳ヨーグルト（P.108）をそえてもおいしい。ブルーベリージャムも合う。

おいしいアレンジ

全粒粉をココナッツフレーク25gに代えて、豆乳を5g減らすと、香ばしくておいしい「バナナココナッツスコーン」に。

「アレンジして生地を作るときは、粉ものは粉に入れる、ナッツ類は成形のときに入れる、と覚えておくと便利です。」

Q ほかのスコーンよりも生地がかたい気がします。

ほかのスコーンより糖分が多いので、焼くと水分が多くなるため、生地をかたくしてあります。焼くとちょうどよくなります。

● 寝かせて作るスコーン

全粒スコーン

ミネラルたっぷりの風味豊かなスコーン。全粒粉たっぷりなのに、ザラザラしません。休日のお昼ごはんにも。

全粒粉たっぷりのスコーンは、生地をしっかりと吸水させてから焼くと、パサつかず、おいしいものができます。このとき冷凍庫で休ませるのがポイント。室温で休ませると、ベーキングパウダーが反応してしまい、ふくらみが悪くなってしまうのです。冷やした生地はカットもしやすく、きれいな形のスコーンができます。

材料（4個分）

Ⓐ 薄力粉…75g
　全粒粉…50g
　てんさい糖（またはメープルシュガー）…15g
　ベーキングパウダー…小さじ1と1/2
　シナモンパウダー…小さじ1
　塩…3つまみ

Ⓑ オーガニックショートニング…25g

Ⓒ 豆乳…70g（要調節）

＊夏場はⒷを冷蔵庫でよく冷やしておくと上手にできる。

1　Ⓐをボウルに入れ、泡立て器でよくかき混ぜ、ダマを取る

2　Ⓑを加え、フォークでショートニングをつぶしながら混ぜ、ポロポロにする。

3　Ⓒを入れ、素早く混ぜる。

4　まな板の上に生地をおき、手のひらを使って〈a〉、のばして〈b〉まとめる〈c〉を3回くり返し、手やスケッパーで四角くまとめる（素早く行う）。ラップをして冷凍庫で30分寝かせ、4つにカットする〈d〉。

5　表面に豆乳を塗り、クッキングシートを敷いた天板におき、220℃に温めたオーブンに入れ、15分焼く。

10分

15分

Q 寝かせずにすぐに焼きたいのですが。

この配合のまますぐに焼くと、ザラザラとした口当たりになります。すぐに焼きたいときは全粒粉の割合を減らしてください。

おいしいアレンジ

くるみ30gを4の工程で入れると「全粒くるみスコーン」。レーズンを入れる場合は焦げやすいのでカットして使い、多くても25gまで。

> だれかをあっと
> 驚かせたいときに
> ### お菓子の小物

材料（作りやすい分量）

豆乳ヨーグルト（P.109）…200g
（ない場合は代用レシピ参照）
オーガニックショートニング…50g
（ない場合は代用レシピ参照）
もち米あめ…25g
バニラエクストラクト
（またはレモンの皮のすりおろし）…少々

作り方

1. 豆乳ヨーグルトをコーヒーフィルターに入れ、冷蔵庫で一晩水切りして、水切り豆乳ヨーグルトにする〈a〉（だいたい75gになる）。

2. ショートニングを小さなボウルに入れ、小さな泡立て器でかき混ぜ、なめらかにし、米あめを加え、よく混ぜる。

3. 1を少しずつ入れて乳化させ、最後にバニラエクストラクトを加えて香りづけをする。

a

豆乳
クロテッドクリーム

乳製品を含まない、純植物性のクロテッドクリームです。濃厚な水切り豆乳ヨーグルトと、オーガニックショートニング。この2つを米あめの粘り気を使って乳化させました。ほんのりした酸味とかたさ、口どけなど、本場のクロテッドクリームに近づけたもので、教室の生徒さんに喜ばれているレシピです。ただし、材料が手に入りにくいこともあるため、代用レシピもご紹介しておきます。

豆乳ヨーグルトの作り方

■材料（1ℓ分）

豆乳（固形分9％以上）…1ℓ
ブルマンヨーグルト種菌（植物性乳酸菌）…1袋

■作り方

豆乳にブルマンヨーグルト種菌〈b〉を入れ、専用のウォーマーで包み〈c〉、約40℃で6～8時間保温する。冷蔵庫で4～5日保存可。

b　　　　　　　　　　c

[ブルマンヨーグルト種菌とウォーマーの問い合わせ先]
青山食品サービス　http://www.aoyamafoods.co.jp/　電話：0595-52-1369
（植物性乳酸菌の説明や豆乳ヨーグルトのアレンジは『にっぽんのパンと畑のスープ』P.52～55を参照）

代用レシピ

◆豆乳ヨーグルトがない場合は、豆乳200gを小鍋に入れて弱火にかけ、50℃くらいになったら火を止め、レモン果汁10gを入れて混ぜる。かたまってきたらコーヒーフィルターで水切りし、75g用意する。これで「豆乳クロテッドクリーム」または「豆乳クリームチーズ」（下記）を作る。

◆オーガニックショートニングがない場合は、豆乳クロテッドクリームにはならないが、1で作った水切り豆乳ヨーグルト75gに対し、【なたね油大さじ1・てんさい糖大さじ1・塩ふたつまみ】を入れて、「豆乳クリームチーズ」にするとおいしい。

酒粕トリュフ

●おまけ

酒粕のくねくねした食感と
お酒の風味がトリュフにぴったり。

酒粕は、やわらかめの板粕を使うと上手にできます。酒粕がかたいときには量を少し減らし、その分、豆乳を足して作ってください。お子さま向けには、酒粕の加熱時間を長くしてアルコール分を飛ばし、豆乳を多めに入れて作ります。お酒好きなら、加熱時間を短くし、酒粕の風味を残して作るとおいしい。水分を飛ばしすぎると最後の工程で分離してしまうので気をつけましょう。

材料（20～25個分）

- Ⓐ 酒粕…120g
  豆乳…40～50g（酒粕のかたさによる）
  米あめ…30g

- Ⓑ アーモンドプードル…50g
  てんさい糖（またはメープルシュガー）…40g
  塩…少々

- Ⓒ ココア…15g
  オーガニックショートニング…50g
  （またはなたね油30g）

作り方

1. Ⓐを鍋に入れ、ふやかしておく。

2. 1をよく混ぜてなめらかになったら、木べらで練りながら弱火にかけ、米あめがとけてなめらかになったら〈a〉、Ⓑを加え、沸騰したら、かたくなるまで2分ほど（要調節）弱火で練り上げる〈b〉。

3. 火を止め、Ⓒの材料をココア、ショートニングの順に入れ、泡立て器でよく混ぜ、乳化させる。ツルンとひとかたまりになったらOK（冷めると分離するので急ぐ）〈c〉。

4. 冷蔵庫で冷やしかため、お好みの大きさに丸めてココア（分量外）をふる。

20分
0分

かんたんアレンジ

3の工程でハンドミキサーを使うとなめらかになってさらにおいしい。

Q かためたら油分が白く層になってしまいました。

2の工程のあと、熱いうちにショートニングを乳化させましょう（P.20参照）。分離すると白く層になります。

◎ お菓子作りに役立つ7つ道具

電動泡立て器やフードプロセッサーを使わずに作るレシピなので、道具は必要最低限のものでOK。洗いものも少なくてすみます。ボウルや泡立て器、ゴムべらは大活躍アイテムですので、大小そろえておくと便利です。

ボウル
大中小3個あると便利です

泡立て器
大小2本あると便利です

ゴムべら
大小あると便利です

スケッパー
ごく標準のものを

めん棒
30〜40cmくらいのものがおすすめ

木べら
1本あれば十分です

はかり
デジタル式がおすすめ

材料紹介

おいしいお菓子は、おいしい材料から。材料選びのポイントをご紹介します。

基本の材料

【甘味料】

レシピのてんさい糖は、すべてメープルシュガーに代えて作ることができます。同様に、はちみつはアガベシロップに代えることができます。てんさい糖は安価で入手しやすく、素朴な甘さの甘味料。アガベシロップは手に入れにくいですが、天然の甘味料で、砂糖の1.3倍ほどの甘さをもちながら、もっともGI値（体内に取り入れたときの血糖値の上昇率を表す指標）が低く、虫歯の原因にもなりにくい。メープルシロップは独特の風味があり、お菓子やパン作りにおすすめです。米あめは、風味やコク、ツヤを出したいときに。

【なたね油】

非遺伝子組み換え原料で、製造過程で薬品処理を行わないものを選びましょう。おすすめは、圧搾一番搾り湯洗いのなたね油。一番搾りの原油のみを無理なく精製し、水と油が分離する力を利用してお湯で不純物を除去したものです。数ある植物油の中でも、バター感があり、こっくりとした風味をもつなたね油は、お菓子作りに最適。湯洗いしていないものは風味が強いので、避けるようにしましょう。

【薄力粉】

薄力粉には、薄力粉と全粒薄力粉（全粒粉）があります。全粒薄力粉は、小麦の表皮や胚芽をつけたまま丸ごと挽いているので、ビタミン・ミネラル・食物繊維が豊富。焼き菓子に加えることで、小麦の味わいがさらに増し、風味豊かに仕上がります（全粒強力粉と間違えやすいので注意が必要です）。いずれも、オーガニックのものが特におすすめですので、自然食品店などで手に入れることができます。また、どのお菓子も、薄力粉を地粉に代えて作ることができます。地粉で作るお菓子には、薄力粉で作るものとはひと味違うおいしさがあります。巻末に地粉のレシピを掲載していますのでご参照ください（P.115）。

【豆乳】

飲んでおいしい、クセのない味わいの豆乳を使いましょう。豆の味の濃い濃厚なタイプの豆乳よりも、さっぱりとした味の飲みやすいタイプのものがお菓子作りには向いています。調製豆乳ではなく、無調製豆乳を選んでください。最近では、スーパーなどでもオーガニックの豆乳を見つけることができます。オーガニックの無調製豆乳が最もおすすめですが、手に入らない場合は、非遺伝子組み換え大豆を使用したものを選びましょう。

【そのほか】

くず粉は、イモデンプンなどのその他のデンプンを含まない、本葛100％のくず粉を使いましょう。固形タイプと粉末タイプがありますが、粉末タイプがお菓子作りには使いやすくおすすめです。化学処理をしていない伝統製法のものも比較的安価に入手することができます。片栗粉はオーガニックのものでも比較的安価に入手することができます。くず粉と片栗粉は、どちらも小麦粉に少量混ぜることにより、サクサクの食感を出すことができますので、手に入りやすいものをご使用ください。

バニラエクストラクトやラム酒などの香料は、かんたんお菓子作りに欠かせない重要なアイテムです。豆乳くささを消してくれたり、洋菓子の雰囲気を出してくれたり、大活躍します。オーガニックのもので、バニラエクストラクトや、レモンエクストラクト、オレンジエクストラクトなど、バリエーション豊かにそろえることができます。そして、1本あると便利なのが、ラム酒です。良質なものが手に入りやすく、エクストラクトと合わせて使用すると経済的でもあり、香り高くおいしく仕上がります。

ベーキングパウダーは、ノンアルミニウムのものを選びましょう。自然食品店などには、オーガニックベーキングパウダーもあります。これらのベーキングパウダーは、開封後はしっかりと封をして保管し、早めに使い切ることをおすすめします。

おすすめの材料

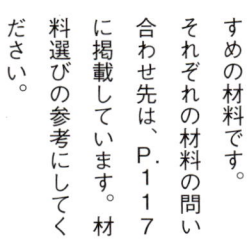

教室で使っているおすすめの材料です。それぞれの材料の問い合わせ先は、P.117に掲載しています。材料選びの参考にしてください。

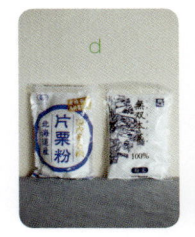

d 片栗粉・くず粉	 b 地粉	 c 全粒粉	 b 薄力粉	a

c アガベシロップ	 i / h 豆乳	 b / c ベーキングパウダー	 g オーガニックショートニング	 f メープルシロップ	 e / d てんさい糖・メープルシュガー	d なたね油

b アーモンドプードル	 c ココナッツフレーク	 d ココア	 l きな粉	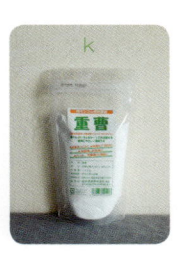 k タンサン	 j 酒粕	 d 米あめ

n 冷凍いちご	 m ラム酒	 c バニラエクストラクト レモンエクストラクト	 d レモン汁	 c コーンミール	 c オートミール	 b アーモンドスライス

地粉で作るときのレシピ

「かんたんお菓子」を地粉で作るときのレシピです。切り取って、たたんで、ビニールカバーのそでにはさんで保管すると便利です。

▼きなこクッキー（P.10）

Ⓐ地粉…65g　くず粉（または片栗粉）…15g　きなこ…20g
Ⓑメープルシロップ…45g　なたね油…30g　塩…ひとつまみ

▼チェダーチーズクッキー（P.12）

Ⓐ地粉…70g　くず粉（または片栗粉）…15g　全粒粉…15g　塩…ふたつまみ　黒こしょう…少々
Ⓑ酒粕…15g　豆乳…10g　なたね油…30g　メープルシロップ…20g

▼ココナッツボール（P.14）

Ⓐ地粉…80g　くず粉（または片栗粉）…20g　ベーキングパウダー…小さじ1/2　Ⓑメープルシロップ…50g　なたね油…35g　豆乳…10g　塩…ひとつまみ　Ⓒココナッツフレーク…20g

▼ビスケット（P.16）

Ⓐ地粉…75g　くず粉（または片栗粉）…25g　アーモンドプードル…20g　ベーキングパウダー…ひとつまみ（なくてもよい）
Ⓑメープルシロップ…50g　なたね油…30g　メープルシュガー（またはてんさい糖）…5g　塩…ひとつまみ

▼シナモンチョコビスケット（P.18）

Ⓐ地粉…75g　くず粉（または片栗粉）…15g　ココア…10g　アーモンドプードル…20g　シナモンパウダー…小さじ1　ベーキングパウダー…ひとつまみ（なくてもよい）
Ⓑメープルシロップ…50g　なたね油…30g　メープルシュガー（またはてんさい糖）…10g　塩…ひとつまみ

▼くるくるきなこクッキー（P.22）

Ⓐ地粉…50g　くず粉（または片栗粉）…30g　きなこ…20g
Ⓑメープルシロップ…55g　なたね油…50g　塩…ひとつまみ

▼全粒スティック（P.26）

Ⓐ地粉…50g　全粒粉…50g　メープルシュガー（またはてんさい糖）…25g　塩…ふたつまみ
Ⓑなたね油…30g　豆乳…25〜30g

▼白ごまチュイール（P.28）

Ⓐ地粉…45g　くず粉（または片栗粉）…10g　オートミール…45g　メープルシュガー（またはてんさい糖）…40g
Ⓑなたね油…40g　豆乳…40g　塩…ひとつまみ
Ⓒ白いりごま…20g　ココナッツフレーク（なくてもよい）…5g

▼シャリシャリショコラ（P.30）

Ⓐ地粉…75g　くず粉（または片栗粉）…15g　ココア…10g　アーモンドプードル…20g　メープルシュガー（またはてんさい糖）…50g　塩…ひとつまみ　Ⓑなたね油…40g

▼アーモンドショートブレッド（P.32）

薄力粉を地粉に代えるだけ。

▼チョコレートショートブレッド（P.34）

薄力粉を地粉に代えるだけ。

▼ジャムマフィン（P.40）

Ⓐ地粉…80g　くず粉（または片栗粉）…20g　アーモンドプードル…25g　ベーキングパウダー…小さじ1　タンサン（重曹）…小さじ1/2　Ⓑ豆乳…100g　レモン果汁…20g　なたね油…40g　メープルシュガー（またはてんさい糖）…40g　塩…ひとつまみ　Ⓒお好みのジャム…40g

▼マーブルマフィン（P.42）

Ⓐ地粉…80g　くず粉（または片栗粉）…20g　アーモンドプードル…25g　ベーキングパウダー…小さじ1　タンサン（重曹）…小さじ1/2　Ⓑ豆乳…100g　レモン果汁…20g　なたね油…40g　メープルシュガー（またはてんさい糖）…40g　塩…ひとつまみ　Ⓒココア…10g　メープルシュガー（またはてんさい糖）…15g　ラム酒…10g

▼全粒ナッツマフィン（P.44）

Ⓐ地粉…40g　くず粉（または片栗粉）…10g　全粒粉…50g　アーモンドプードル…25g　シナモンパウダー…小さじ1　ベーキングパウダー…小さじ1　タンサン（重曹）…小さじ1/2　Ⓑ豆乳…110g　レモン果汁…20g　なたね油…40g　メープルシュガー（またはてんさい糖）…40g　塩…ひとつまみ　Ⓒお好みのナッツ…40g

▼バナナマフィン（P.46）

Ⓐ地粉…80g　くず粉（または片栗粉）…20g　全粒粉…25g　ベーキングパウダー…小さじ1　タンサン（重曹）…小さじ1/2
Ⓑバナナ…70g　レモン果汁…20g　ラム酒…小さじ2
Ⓒ豆乳…60g　なたね油…45g　メープルシュガー（またはてんさい糖）…40g　塩…ひとつまみ
Ⓓバナナ（スライス）…6枚

▼レモンマドレーヌ(P.50)

Ⓐ地粉…50g くず粉（または片栗粉）…10g アーモンドプードル…15g ベーキングパウダー…小さじ3/4
Ⓑ豆乳…60g なたね油…25g メープルシュガー（またはてんさい糖）…25g 塩…ひとつまみ レモンの皮（すりおろし）…少々 レモン果汁…5g
Ⓒシロップ アガベシロップ（またははちみつ）…15g 水…10g レモン果汁…5g ＊レモンの皮がないときは、Ⓒにレモンエクストラクト小さじ1/2を入れる。

▶チョコマドレーヌ(P.51) 薄力粉を地粉に代えるだけ。

▶フィナンシェ(P.52) 薄力粉を地粉に代えるだけ。

▶全粒パンケーキ(P.56) 薄力粉を地粉に代えるだけ。

▼いちじくのブラウニー(P.60)

Ⓐ地粉…70g くず粉（または片栗粉）…20g ココア…30g アーモンドプードル…30g ベーキングパウダー…小さじ1
Ⓑ豆腐（絹）…180g なたね油…60g
Ⓒラム酒…15g メープルシュガー（またはてんさい糖）…70g アガベシロップ（またははちみつ）…大さじ2 塩…ひとつまみ
Ⓓドライいちじく…150g

▼ブランデーチョコレートケーキ(P.62)

Ⓐ地粉…60g くず粉（または片栗粉）…15g ココア…30g アーモンドプードル…45g ベーキングパウダー…小さじ2
Ⓑ豆腐（絹）…150g なたね油…60g
Ⓒレモン果汁…15g メープルシュガー（またはてんさい糖）…80g 塩…ひとつまみ
Ⓓブランデー…35g メープルシロップ…35g

▼バナナケーキ(P.66)

Ⓐ地粉…120g くず粉（または片栗粉）…30g ベーキングパウダー…小さじ2
Ⓑ豆腐（絹）…40g なたね油…65g メープルシュガー（またはてんさい糖）…60g（バナナの甘さによって調節） 塩…ひとつまみ
Ⓒバナナ（かためのもの）…120g みかんジュース（またはりんごジュース）…50g
Ⓓくるみ、アーモンドなどお好みのナッツ…30g
Ⓔ粉寒天…小さじ1/2 あんずジャム…30g メープルシロップ…30g みかんジュース（またはりんごジュース）…20g

▶ざくざくタルト(P.74) 薄力粉を地粉に代えるだけ。

▶カスタードクリーム(P.92) 薄力粉を地粉に代えるだけ。

▶アーモンドクリーム(P.93) 薄力粉を地粉に代えるだけ。

▼とうもろこし粉スコーン(P.98)

Ⓐ地粉…80g くず粉（または片栗粉）…20g コーンミール…25g メープルシュガー（またはてんさい糖）…15g ベーキングパウダー…小さじ1 塩…ふたつまみ
Ⓑなたね油…30g 豆乳…40g（要調節）

▼きなこスコーン(P.100)

Ⓐ地粉…80g くず粉（または片栗粉）…20g きなこ…25g メープルシュガー（またはてんさい糖）…15g ベーキングパウダー…小さじ1 塩…ふたつまみ
Ⓑなたね油…30g 豆乳…45g（要調節）

▼ライ麦フルーツスコーン(P.100)

Ⓐ地粉…80g くず粉（または片栗粉）…20g ライ麦粉…25g メープルシュガー（またはてんさい糖）…15g ベーキングパウダー…小さじ1 塩…ふたつまみ
Ⓑなたね油…30g 豆乳…40g（要調節）
Ⓒお好みのドライフルーツ…30g ラム酒（またはりんごジュース）…5g

▼ヘタスコーン(P.102)

Ⓐ地粉…80g くず粉（または片栗粉）…20g アーモンドプードル…25g メープルシュガー（またはてんさい糖）…15g ベーキングパウダー…小さじ1と1/3 塩…ふたつまみ
Ⓑなたね油…30g 豆乳…40g（要調節） レモン果汁…5g

▼チョコレートスコーン(P.104)

Ⓐ地粉…80g くず粉（または片栗粉）…20g ココア…15g アーモンドプードル…15g メープルシュガー（またはてんさい糖）…30g ベーキングパウダー…小さじ1と1/3 塩…ひとつまみ
Ⓑなたね油…30g 豆乳…45g（要調節） レモン果汁…5g

▼バナナスコーン(P.104)

Ⓐ地粉…80g くず粉（または片栗粉）…20g 全粒粉…25g メープルシュガー（またはてんさい糖）…20g ベーキングパウダー…小さじ1と1/3 塩…ひとつまみ
Ⓑバナナ…50g なたね油…25g 豆乳…20g（要調節）

▼全粒スコーン(P.106)

Ⓐ地粉…75g 全粒粉…50g メープルシュガー（またはてんさい糖）…15g ベーキングパウダー…小さじ1と1/2 シナモンパウダー…小さじ1 塩…3つまみ
Ⓑオーガニックショートニング…25g Ⓒ豆乳…75g（要調節）

困ったときのお助けメモ

各レシピで紹介したよくある質問のほかに、教室でよく受ける質問をまとめました。

Q 甘さや油の量は調節できますか？

てんさい糖などの粉末の甘味料は、お好みで増やしたり減らしたりすることが可能です。メープルシロップやなたね油などを減らしたいときは、減らした分、豆乳を増やしてください。

Q クッキーがサクサクしません。

焼き上げたクッキーがしっとりしている場合、150℃のオーブンに再び入れ、サクッとするまで乾燥焼きしましょう。次からは設定温度を上げてください。また、液体を冷やしておくと、グルテンができにくく、サクサクしやすくなります。

Q 豆腐となたね油の乳化に失敗しました。

生地の一部の粉を入れて、乳化作業を再び行ってください（「乳化のコツ」P.20参照）。豆腐に油を一度に入れたり、豆腐と油に温度差があると分離しやすくなりますので、注意しましょう。

Q レシピで使う豆腐は、木綿豆腐でも作れますか？

木綿豆腐では分離しやすくなってしまいますので、できれば絹ごし豆腐で作ってください。木綿豆腐を使うときは、プロセッサーを使ってペースト状にするとうまくいきます。

Q アレンジのコツを教えてください。

粉ものは粉に、液体のものは液体に、ナッツ類は湿気ないように最後に入れましょう。

[問い合わせ先]

a「ムソーオーガニック　オーガニック小麦粉」
むそう商事　http://www.muso-intl.co.jp/

b「海外認証原材料使用　薄力粉（アメリカ産）」
「石臼き地粉（福岡県産）」
「オーガニックベーキングパウダー」
「アーモンドプードル」「アーモンドスライス」
陰陽洞　http://in-yo-do.com
電話：046-873-7137

c「全粒薄力粉」「ラムフォード　ベーキングパウダー」
「アガベシロップ」「有機ココナッツフレーク」
「有機オートミール」「有機コーンミール」
「バニラエクストラクト」「レモンエクストラクト」
「オーガニックアプリコット」（P.41）
テングナチュラルフーズ／アリサン
http://www.alishan-organics.com
電話：042-982-4811

d「国内産有機片栗粉」「無双本葛100％」
「一番搾り　純正　なたねサラダ油」
「北海道産　てんさい含密糖」「ムソーのもち米飴」
「オーガニックブラックココア」
「レモン100％ しぼりたて」
ムソー　http://muso.co.jp/　電話：06-6945-5800

e「メープルシュガー」　メープルファームズジャパン
http://maple-farms.co.jp/　電話：06-6313-3101

f「アレガニ　メープルシロップ」
「フルーツガーデン　ワイルドベリージャム」（P.41）
「アビィ・サンフィルム　ブルーベリージャム」（P.41）
ミトク　http://www.mitoku.co.jp/
電話：0120-744-441

g「オーガニック・ショートニング」
ダーボン・オーガニック・ジャパン
http://www.daabonorganic.com/
電話：03-6277-3096

h「SOY DREAM」　サラダボウル
http://www.organic-saladbowl.com/
電話：06-6378-2117

i「有機豆乳 無調整」
マルサンアイ　http://www.marusanai.co.jp/
電話：0120-92-2503

j「酒粕」　玉隠堂農園　電話：0747-25-0135

k「重曹」　桜井食品　http://www.sakuraifoods.com/
電話：0120-668-637

l「国産有機 きな粉」
山清　http://www.yamasei.jp　電話：0120-512238

m「RURIKAKESU　RUM40」
高岡醸造　電話：0997-83-0014

n「有機ストロベリー」
フーデム　http://www.gochisobanashi.net/
電話：078-796-2677

おわりに

もともと『お菓子』は栄養や健康のために食べるものではなく、喜びのために食べるものだと思います。もちろん、健康でいたいし、なるべく太りたくないです。ゴミをたくさん出したくないし、遠くの知らないだれかが悲しむこともできれば避けたいです。だけど……、食べたときの喜びがなければ、それは『お菓子』の役割を果たしていない。そんなことをいつも考えながら、お菓子を作ってきました。

「どうしたら次の日もパサパサにならないにコクが出るのか？」「安全とは？ 安全なお菓子とはどんなものなのか？」「どうしたら油っぽくならずみんなになじみのある喜びのあるお菓子と、本当の意味で安心して食べることのできるお菓子。このふたつのギリギリの接点を、今も探し続けています。

「おいしいお菓子が食べたいから、今日はまっすぐ家に帰ろう」
この本を読んでくれた人がそう言ってくれたなら、それ以上、うれしいことはありません。

最後に、11年前、私が「完成しました！」と言ったお菓子を、それがどんなものでも、すべて引き取ってくださった、自然食品店「輪屋」さん。あのころのお菓子が載っています。

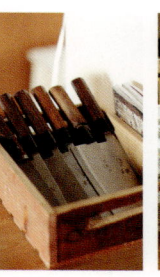

6年前、私を埼玉から逗子に呼んで、山のように試作をさせてくださった、「陰陽洞」の宇野先生、すべてが今、役に立っています。カメラマンの寺澤さん、デザイナーの山本さん、おふたりへの感謝は、とてもここには書ききれませんが、私たちの願いを、すべて魔法のように形にしてくださいました。スタイリストの髙木さん、素敵な出会いでした。編集の中村さん、私の長年の夢を叶えてくれましたね。みなさん、本当にありがとうございました。梟城のみんなも、いつも通りありがとう。次の山へ登ろう！

2012年8月　白崎裕子

かんたんお菓子
なつかしくてあたらしい、
白崎茶会のオーガニックレシピ

2012年9月30日第1版第1刷発行
2014年8月18日　　　第8刷発行

著者　白崎裕子

撮影：寺澤太郎
撮影助手：佐々木孝憲
デザイン：山本めぐみ　東 水映（EL OSO LOGOS）
スタイリング：高木智代
校正：大谷尚子
編集：中村亜紀子

調理・スタイリング：白崎裕子
調理助手：橋本悠　藤戸亜矢　岸亜希子
調理助士：会沢真知子　鈴木清佳
調理協力：柳沼みな子　堀口葉子　八木悠
　　　　　樽茶麻子　高木恵美　鈴木祥子　井手孝子

食材提供：陰陽洞
器協力：木暮豊　ギャラリー招山　und（ウント）
　　　　平山良子　熊谷定男　小池悦子
天板協力：丸林佐和子
布小物：工藤由美（FabricsY）
梟のマーク：神山順
協力：菜園 野の扉　輪屋　アロハス株式会社
　　　伊藤由美子　加藤由里子　山川早織　高村知子　白崎和彦

発行者　玉越直人
発行所　WAVE出版

〒102-0074 東京都千代田区九段南 4-7-15
TEL：03-3261-3713　FAX：03-3261-3823
振替 00100-7-366376
info @ wave-publishers.co.jp
http://www.wave-publishers.co.jp

カバー　大比良工業
用紙　紙大倉
印刷・製本　中央精版印刷

© Hiroko Shirasaki, 2012 Printed in Japan
NDC596　119P　26cm

落丁・乱丁本は送料小社負担にてお取り替えいたします。
本書の無断複写・複製・転載を禁じます。

ISBN 978-4-87290-581-6

白崎裕子　しらさき ひろこ

東京生まれ（埼玉育ち）。逗子市で30年以上続く自然食品店「陰陽洞」主催のパン＆お菓子教室「インズヤンズ茶会」の講師を経て、葉山の海辺に建つ古民家で、オーガニック料理教室「白崎茶会」を開催。予約の取れない料理教室と知られ、全国各地からの参加者多数。岡倉天心、桜沢如一、森村桂を師と仰ぎ、日々レシピ製作と教室に明け暮れる毎日。座右の銘は「魂こがしてマドレーヌこがさず」。著書に『にっぽんのパンと畑のスープ』『にっぽんの麺と太陽のごはん』（WAVE出版）、料理DVD『魔女のレシピ』（アロハス株式会社）がある。
HP「インズヤンズ梟城」
http://shirasakifukurou.jp